そこにある、Noism

新潟市民芸術文化会館 りゅーとぴあ専属舞踊団

村山 賢
Ken Murayama

写真　篠山紀信

写真　篠山紀信

そこにある、Ｎｏｉｓｍ

―新潟市民芸術文化会館りゅーとぴあ専属舞踊団―

目次

踊ることは重力との戯れ　・・　Noism

はじめに

公演が終わった打ち上げの席、若者たちの顔には、それまで見せたことのない表情が浮かんでいた。これまで積み上げてきたものから解放された安堵と満足感、高揚した頬、公演を無事に終えたことへの達成感、反省と展望が入り混じった複雑な表情もある。

初めてNoismのリハーサル見学へと足を運んだ日を思い出す。

彼らはそれ程広くはないスタジオの中で、汗に塗れて踊っていた。そこには緊張や未知なるものへ抱く恐怖、多少の自信、疲労など様々な言葉の群れで表現することが出来る面容が浮遊していた。

しかし、どのダンサーも共通して『真っ直ぐ』という意思を背負っていた。真っ直ぐ過ぎるほど真っ直ぐだと言ってもいい。それ程、直線的で、純粋な意思の現われがスタジオ内の空気を支配していた。

その結果、公演後の会場には沢山のスタンディングオベーションが発生し、多くの賛同者から前向きな意見を生んだ。アフタートークショーに集まった人たちの意見で最も多かったものは『新潟以外でも公演を行って欲しい』というものだった。

新潟以外でも公演を行って欲しい――。

今、新潟に於いて、このような称賛とも呼べる言葉を投げ掛けられる対象が他にあるだろうか？

その日、新潟が誇るべき建築物である『りゅーとぴあ』には、耳にした限り東京、千葉、大阪など多くの県外の方々が足を運んでいた。そして、アフタートークショーの中で東京から来たという夫人がこんなことを言っていた。

「新潟以外でも公演を観たいという気持ちはあります。だけど、私たちが新潟へと足を運ぶ。これこそがNoismの本来の姿ではないでしょうか。だから、新潟での公演の回数を増やして欲しい・・・。そして、メディアの方々にお願いがあります。Noismをもっとピックアップする機会を増やして下さい。そうすれば、この素晴らしい公演がさらに広がりを見せるはずです」

この日、Noism芸術監督である金森穣のアフタートークショーの相手を務めたのは、新潟のローカル放送局のアナウンサーだった。

夫人の意見は的確にNoismの存在意義の中核を突き、メディアの姿勢までをも問い質す至極もっともな意見であった。

Noismを新潟の外へ持って行くのは、経済的な事情が解決をしてくれる。それもNoismを広めるためには有効な手段かも知れない。機会があればどんどんやって欲しい。だがしかし、『新潟のNoism』であるという市民の意識、誇り、自負を定着させるには、やはり夫人が言ったように『県外から足を運んで頂いて、Noismを鑑賞して頂く』これこそが、地方の活性化につながる真なる標的にならなければいけないのではないだろうか。

間違いなく金森穣が創り上げたNoismは、その力を備えている。その証拠に金森穣は打ち上げの挨拶でこう言い放った。

「まずは、お疲れ様と伝えたい」

一同、緊張――。それまで緩んでいた空気が一変する。

「だけど、俺の野心は今ここで満足することはない。さらにNoismを発展させることが、俺の目標だ。ここは通過点。もっと上を目指そう。乾杯――」

メンバー全員で「カンパーイ！」。そこでまた一気に空気が緩み、若者たちは美酒に酔い始める。

金森穣らしいストイックで、自信家で、負けず嫌いな性格が如実に表れた言詞であり、実に響きのいい文句であった。

新潟のNoism――。

いつか、平気でそう呼べる日が来ることを願いたい。

残念ながら今段階、新潟での Noism の認知度は低いと言わざるを得ない。ほとんど知られていないと言っても過言ではないかも知れない。

それは金森穣が、Noism が創り出す作品が激烈なまでに人間の心を貫こうと試みているからであり、ダンサーの動き、作品の内訳、それを目にした者の空気感を言葉に置き換えることが困難な行為であることも起因しているかも知れない。

——目にしたものの解釈は、人それぞれで答えはない

金森穣の口からは、しばしばその台詞が飛び出す。Noism の作品を言葉に変換することが出来る人間がいるとするならば、それは金森穣だけであろう。

口コミで Noism の作品を、あるいは Noism の公演の喧伝を試みようとしている方々は『とにかく観て』としか口に出来ていないのではなかろうか。それはそれで正解のように思う。精神や感情で受け取ったパッションを言葉として編集することは至難である。それも、一〇〇人が目にしたら一〇〇通りの詳論が生まれるような作品に於いては尚更である。

しかし、Noismをもっと新潟市民に届けたいと心から願う者の私見としても、是非これは鑑賞して判断して頂きたい。そして、「りゅーとぴあ」という建築物の素晴らしさ、そこで働く人たちの芸術、文化、演劇に対する真摯《しんし》なまでの姿勢に接して頂きたい。

芸術というのは、街の片隅でひっそりと生まれ、その意味とその価値を理解する者だけがそれを享受する権利がある——。

それで良しとする意見もあろう。だが、そんな既成概念を打ち破りたいのだ。経済効果を派生させることで、さらに進化を見せるであろう芸術の姿を見てみたいのだ。

Noismを構成する若者たちの真っ直ぐな姿勢。純粋な態度。金森穣という男のパッション、挑戦心、負けん気を新潟市民に伝えたいのだ。新潟人が胸を張って誇れる対象物を創り上げたいのだ。何よりも身近に、こんなにも身近に素晴らしい芸術が芽生えていることを伝えたいのだ。

今になってNoismを知った一市民として——。

あるプロデューサーの一言から始まったこの本の出版企画であるが、リハーサル見学から公演までを目にして、また、金森穣という男と触れ合った時間と感触をあるがままに、そして、感じたままに言葉の群れとして記したつもりでいる。ときにはフィクションで、ときには随筆調に、ときには詩にのせて。

この言葉の群れに触れた方々が『次の Noism の公演、観に行ってみようか』と思って頂ければ物書き冥利に尽きる次第である。

そして、さらに発展していくであろう Noism の行く末は、一人一人の新潟市民に委ねられているということを伝えておきたい。

Noism 芸術監督、金森穣はそんな市民の期待や願望、ローカルという物理的な障害をきっと打ち破ってくれるはずである。

村山　賢

芸術・・・ばんざい　：　りゅーとぴあ

季節は難なくじめじめとした梅雨を乗り越え、初夏を匂わせる淡い光が空から降り注ぎ始めている。

ある日の昼下がり。清々しい緑に囲まれた屋上庭園を歩き、入り口のガラス扉を押す。

この建築物を訪れるのは、これで何度目になるだろうか――。

ある有名な建築家がデザインを手掛けた建築物。小さな、ときには些細とも言えるディテールの積み重ねと、検討に検討を重ねられたフォルムが建築物の美しさを決定づける。誰も気がつかないような部分へ向けるデザイナーの執着が、建築物という『すでに存在する物体』へと足を踏み入れた者、それを目にした者に対して『美しい』という印象を裏づけるのだ。

それはときに『居心地がいい』『落ち着く』『ただ、単純に好き』という感触へと変貌を見せるが、人間の触角が感じ得る肌触りとしては肯定的であることに変わりはない。

新潟市民芸術文化会館『りゅーとぴあ』はその『美しい』という概念と共に、芸術や文化をこの新潟という地に芽生えさせる役割を担うに相応しい建築物である。

ヨーロッパの街角にいきなり現われる大きな劇場。それに肩を並べる存在感も含んでいる。


公演を行う者。その裏で公演を成功へと導くために汗を流す人々。様々な手続きの進捗を図る人々。真摯な態度を持って雑務を消化する人々。『りゅーとぴあ』に関わる全ての人々の目には、やはり芸術や文化という標的が映し出されていて、それもまた建築物を『美しい』と感じさせる要因になっていることは、間違えようもない手応えとして目に映る。

しばらく天井を見上げ、デザイナーの残した足跡を辿る。

あの天井にある凸凹は何を狙ったものなのか？　凹凸を創り上げている直線を目で追うと、自然とその答えが見えてくる。光の取り込み方と量、それを受け止める空間と来訪者の動線との位置関係。働く者への配慮。大きく貼られた鏡の意味。建築物にはやはりそれなりの意図と目的があり、それに気がついたとき、あるいは、推測を持参することが出来たときの自己満足たるや至福の限りである。

思わず来訪の目的を忘れ、手にした一眼レフのレンズを『りゅーとぴあ』内部へと向け、その美を手中に収めるための行動に夢中になり始めそうになる。

いやいや、今日は目的が違う——。

そうひとりごちながら、レンズのカバーを元に戻し、事務室へと向かう。

来訪の目的を告げると、一人の職員が案内役を買って出てくれた。職員の目に浮かぶ光。やはり、目的を持って働いているという自負と、ここで芽生える様々な芸術に触れながら生きている者だけが持つことを許された輝きを蓄えている。

この建築物もその職員の目に浮かぶ光を構成する役割の一部を担っていることだろう。光を育て上げたと言い代えることも出来るかも知れない。

「いい建物ですね」

階段を登りながら、少し手前を歩く職員の背中に向かって口を開く。固い面持ちでいた職員の顔に、共通点を見出した安心感が浮かび上がる。

「はい。あの、初めてですか?」

「いや、何度か来たことはありますよ。ただ、あらためてそう思いました」

職員の面容から警戒心が霧散する。来訪の目的は、その職員にとって少しばかり緊張をもたらすものだったのか、はたまた来訪者がそうさせたのか。

「ここでの勤務は長いんですか？」

「二年ほどになります」

「どうして、ここで？」

職員を包み込む気配から、畏怖や気遅れ、緊迫といったネガティブな影は消え去り、唇に微かな笑みが露見する。

「ここで行われる公演や舞台のそばで働いてみたかったんです」

清和な風すら感じさせるような笑顔で職員はそう口にした。

「夢が叶ったんだね」

はにかむように頷いた職員が先を促す。

建築物に見惚れていたお陰で、約束の時間に遅れそうな現実を思い出す。擦れ違う職員、関係者もみなどこか芸術という確かな手応えに反響した香りを背負っている。

エレベーターに乗り、目的の地へ。

そこには無数の若者が群れていて、思い思いの姿勢や態度で休息のときを過ごしていた。

廊下の奥に目を向ける。明らかに景色の違う男が一人。

案内をしてくれた職員は『これで役割は終わり』と言わんばかりに足早に姿を消した。あの純朴な職員が緊張の様相を浮かばせていた理由のひとつを察知する。

あの男だな——。

舞踊と舞台、そして、自らも表現者として活躍する男。『りゅーとぴあ』の存在と自らがこの場所にいることの意義を了承し、この建築物の中で自らが果たすべき役割を天衣無縫《てんいむほう》に追い求め続ける男。

物書きはその男に近づき握手を求める。

秀逸な建築物の中で、二人の男の仕事が始まった瞬間。大きく切り取られた窓からは、全力を出し始めた太陽の強い光が差し込み始めていた。

物書きはそのエネルギーを背中に感じながら、遠慮なしに、出合ったばかりのその男の目の奥を覗く。すでにある種のシンパシーを抱き始めている自分に気がついた。

建築物はただじっとしたまま、その出合いを掌の中に包み込んでいる。恐らく、過去に起こった幾多の出合いに対してもそうしてきたに違いない。

辿りついた、この街で　：　背負うもの

風の色も肌触りも違うこの街で、いよいよ私を解き放つときが来た。

恋に破れた感傷も、苛立ちを覚えた傷跡も生まれたところに置いてきた。全身を濡らした汗という足跡も、涙を流した悔しさも全て千切り捨てながら、この街へとやって来たんだ。

この街に馴染むのには少しだけ気を使ったけど、慣れてしまえばこの街にも土地を愛する人がいて、移りゆく四季に耳を傾けながら暮らす人もいる。隣には一緒に遠くを眺める人の輪もある。


友よ、今幸せですか？

私は羽ばたけそうだよ。

母よ、いつも手紙をありがとう。

私は毎日、ほんの少しずつだけど、身体に刻まれる何かを感じています。

父よ、徒《いたずら》に心配していませんか?

いつでも帰れる場所があるから、私は頑張れるのです。

絶え間なく流れるときの中で、私は私なりに生きている。たまに、自分を見失いそうにはなるけれど、それでも生きることから逃げてはいないよ。

全てに移ろいがあるように、私も少しは成長したのかも。

今年はあの山の桜は咲いたかな。あの鮮やかな色は、目を瞑ればいつでも私の心の裡に蘇ります。

今思えば、どうしてあれ程生まれたところを離れたいと願ったんだろう。憎かったわけじゃない。恨みなんてちっともないし、くたくたに疲れた夜は、『帰りたいな』っていつも思ってる。

突き当たりを感じてたんだね。不明瞭な違和感に苛まれる夜から、一度離れてみたかったんだ。

思い焦がれたこの世界に立ってみて、見えてきたものが沢山ある。実情はそれ程楽なものじゃないけれど、迷子になるよりは全然ましだよ。

今、私の中にあった迷いは消えた。
明日がどんな日になるかなんて分からないけど、今日よりも少しだけ前進出来ていればそれでいい。昨日とは違う風を感じていたいから。

この街に辿りついた——。

今はとても充実してる。巡り合いなんて、そう何度も訪れてくれるものじゃないし、私が求めていた場所が確かにここにはある。
マフラーが必要になる頃、この街を覆い始める鉛色の空も、海の彼方へと沈むオレンジ色をした太陽も、冬と一緒にやって来る冷たい雪も、聞き取りづらい方言も、今は私を構成する大切な一部になっている。

この街に辿りついた——。

ここで暮らす人たちに、私が持っている何かを伝えたい。『街に活気を』なんて、思い上がりは持ち合わせてはいない。だけど、折角この街に来たんだから、街の人たちに溶け込んで、目印にはなってみたい。

この街に辿りついた――。

途方に暮れていただけの日々に『さよなら』を言えた。
そして、この街を選んだ。
怯《ひる》みそうになる私に応援歌を口ずさみながら、私は生きている。
この街にあらためて言おう。
私はここにいるよ。いつも、ここにいる。

跳んでみようぜ　：　体得

迷ったらとにかく跳んでみることにしている。
怖くないかって？
怖いよ、そりゃ超怖い。
だけどさ、そこにずっと留まっているつもりなの。
いつか跳ぶつもりって思っているんだったら、
今、跳んじゃえって思う。
着地に失敗したら痛いよ。
だけど、その痛さが次への教訓になるんだよ。
そして、身体も心も強くなる。

少しだけ高い場所へ行くと全く視界が変わるでしょ。
私はそれが好き。
高いところが好きってわけじゃないよ。
あの、今まで見たこともない世界が広がるような感じが好き。
もっと高い場所へ行きたい。
きっと、見たことのない世界がある。
そしたら、もっと違う自分を発見出来そうな気がする。
そして、それが宝物になるんだよ。

挑戦って言葉に堪らなく魅かれるときがある。
変化も好きだよ。
ちょっとだけ勇気が必要だけどね。
やっぱり、どこか変わった自分を体験してみたいじゃない。
あっ、こんな自分もいたんだって。

そんな発見が出来たら素晴らしい。
だから、今を、今日という日を必死に生きている。
発見ってそんなところから生まれるはずだから。

もう駄目だって思うこともある。実際、あったし。
限界だよ、って。
そこから立ち直るのには時間が必要になるよね。
それでも、諦めたくないって気持ちを持っていたい。
負けるの嫌いだし、そんな自分も嫌い。
だから、ときが流れてくれるのをじっと待つ。
そして、少しでも光が見えてきたときはさ、
思いっ切り跳ぶんだ。半端ない全力で。

跳んでみようぜ。

怖くたって、痛くたって、辛くたって、
跳んでみようぜ。
そこに何があるかは分からないけど、
今とは違う景色が広がっているはずだよ。
跳んでみようぜ。
跳んでみようぜ。
私は跳んでみせる。

群像・・会話

「俺たちってさ、どこまで行ったら完成を迎えんのかな?」

真顔のあいつが不意にそう呟いた。

そんなこと考えたこともなかったし、あいつの口からそんなでかいフレーズが飛び出すなんて思ってもいなかった。正直、少し驚いた。

「知らねえよ」

そのときは、そう返すしかなかった。そうやって、逃げることしか出来なかった。正面切って、それに応酬出来るだけの力なんて持ってねえ。


何だよ、取り残されてんじゃねーか――。

その夜は記憶を飛ばすだけ呑んだ。酒が頭ん中を引っ掻き回そうとし始めると、あいつが

口にした言葉が鮮明に浮かび上がってきてしまう。ちっとも酔えやしねえ。自分がやけにちっぽけな存在に思えた夜。寂しいよな。

いつも笑ってるお月さんも、今夜は分厚い雲の中に隠れてしまってるし。完全に一人になっちまったな。

完成って何だよ。どういうことだよ――。

走馬灯ってこういうことを言うんだろう。不愉快な苛立ちが、繰り返し頭の中を駆けずり回る。

観衆から拍手を貰えればそれでいいもんだとばかり思ってた。でも、あいつの顔にはそんなのとは全然違う何かが含まれていた。

哲学なんて習ったことねーし、そもそも、そんなもんが必要なのかよ――。

あいつと初めて会ったのは三年前。『そのうち売れんだろ』なんて、汚ねえ焼き鳥屋で危なそうな酒を呑んだこともあったよな。女の話なら一晩中語るだけの量を持ってもいたしな。

殴り合いをしたこともあったな。

あれは、あいつが作品を批判したときだ。自棄《やけ》になっていたってのは分かったけど、こっちは張り倒すってことしか能がなかったんだよな。あいつを唆《そそのか》すだけの、巧い言葉なんて持ち合わせていなかったもんな。今なら少しはましなもんを持っているのかも知んないけど。それも分かんねえ。

お前、何が見えてんだよ――――。

『馬鹿でいいじゃねえか』なんて言ったらお前は笑うんだろ。いつもの薄い笑顔が目に浮かぶよ。でもよ、これしか出来ねえんだよ。世渡りなんて、そう器用なことも出来そうもねえし、これやるって決めたんだよ。

遠くへ行っちまうんだろ――――。

お前、そういう面《つら》してた。いつまでも、砂利道走りたくねえんだろ。それも分かってるよ。

『夢を捨てんなよ』お前がどっか行こうって決めたとき、酒でもかっ喰らいながら、そう言ってやるよ。

夢捨てちまったら、お終いだもんな――。

あの頃が懐かしい。寂しいよな。

昨日、雲を眺めていたよ　：　跳躍

普通の休日。

ごく普通のありふれた休日。

河川敷に寝転んで、流れる雲を眺めていた。雲の向こうって何があるんだろう。そんな疑問がふと頭の隅に浮かび上がる。

きっと、今の私と同じようにありふれた空間が広がっているんだろうけど、どこか期待しちゃうよね。ラピュタがあったら行ってみたいとか。

それはないか・・・。

水面を滑った湿った風が、頬を撫でてどっかへ消えた。そういう何気なさに優しさを感じてしまうんだ。

ゆっくりと目を瞑る。

耳に届くのは、川を流れる澄んだ水の音。それから、風が草を揺らす儚《はかな》い音。時折、耳に届くクラクションの激しさも今は許す。それにもまして、優しい音が私を満たしているから。

少し、眠ったみたい。

まあ、それも仕方ないか。これだけの自然だもの。流されてみるのもいいよね。雲って同じ形してないいんだね。当たり前だけど。そんな当たり前も、今の私にはどこか新鮮だったりして。

ごくありふれた休日とそんな当たり前。それもいいよって思えちゃうね。だって、休日なんだもの。

無駄な時間？

そう。たまには無駄な時間が必要なんだよね。本当に無駄っていう意味でね。中途半端は駄目。明日考えたら全く無駄だったな、って思えるくらい無駄な時間ね。だけど、それが明日どう思えているかなんて、今は分からない。あー、何言ってるのか分からなくなってきた・・・。

そんだけ、今はありふれた休日を満喫しているのよ。そう、無駄にね。とても無意味にね。

『昨日何してたの？』って訊かれたらどう答えるかって？

うーん、雲を眺めてたって答えるかな。それって、格好よくない？『えっ、一日中、雲を見てたよ』みたいな。それも、いたって当たり前のことのように答えるのよ。知的に、いかにも訳知り顔で、それでいてクールにね。

もったいねー、とか、暇だねー、とかそんな反応するんだろうね。流されるってのもいいものなのにさ。『雲の向こうって何があんの？』とか訊いてみよっと。宇宙でしょ、なんて言われたら、ラピュタだよって答えてやる。

変な奴って言われそうだよね。まあ、いいけどさ。

やっぱ、雲っていいな。なんか自由っていうかさ、壮大じゃない。

雨降らしたり、お日様隠したりさ。それって、相当なエネルギーだよね。私なんかがど

んだけ跳んだって届かないよね？　指先すら触れられない？　当たり前か。だから、いいんだね、きっと。
　これがさ、いつでもどうぞってもんだったら、こんなに魅かれないよね。私はそうだな。明日、少し跳んでみようかな。もしかしたらさ、雲に触れるかも知れないじゃん。

　無理？

　そんなの分かんないじゃん。

某日の射程　：　間隙

「それじゃ、行ってくる――」

それだけの言葉を残して、あの人は壁の向こうへと姿を消した。

「またね」

僕たちは小さく呟いた。もう二度と会えないだろうということを薄々感じ取りながら。

強き人が向かった先は、僕たちには手の届かない遠い、遠い世界。

愛する人や時間や場所や、僕たちの住処さえも守るために、その一歩を踏み出した戦士の背中を見送った。

僕たちの救いはどこにあるの？

あの人が導いてくれるものだとばかり思っていた。

それが甘えだったと気がついたとき、孤独の波が背中から押し寄せた。

誰がこの地球に線を引いたのだろう？

その行為が起こした波動は、圧倒的な破壊力を備えていた。

兵器が生み出す罪と罰。

僕たちを救ってくれるのは誰？


「我のもとに集合せよ――」

ある紳士が指先を天に向け、声高にそう叫ぶ。

「行ってみようか」

弱者と化した僕たちは、何かに縋《すが》るような思いを心の隅に携《たずさ》えながら近づいた。

紳士は言う。やがて来る終焉に向けて、船を作ろうと。

僕たちの営みはそちらへと向かう。やり場のない憤りと心細さから逃れるために、その提案に逃げ場所を見た。

この苦悩はいつまで続くの？

世界に果てなどないと誰かが叫ぶ。

それが事実だと知ったとき、船など無意味だと気がついた。

時間を支配しているのは誰？

権力の階段を上り詰めた先に待っているのは虚構。

罪悪という概念は消えない。

僕たちを未来へと運んでよ。


「今日を一途に生きようか――」

海が広がる丘の上で、朝陽を浴びながら、誰かがそう呟く声が耳に届いた。

「そうだね」

裏づけも何の論証もないその独白に、僕たちの心は大きく揺り動かされた。

今はその結末にどんな風景が待っているかなんて分からない。

それでも生き抜くための道標を、その言葉に感じたから、僕たちは再び歩き出すことへの覚悟を心の中に納めることが出来た。

この道はどこへ繋がっているの？

きっとこうしている間も、あの人は闘っているだろう。

だから、僕たちは特別な話し合いの時間を持つこともなく、ずるい逃避をやめることにした。

支配者の掌の中には何があるの?
それが決して有意義な物体ではないということは、何となく分かってきた。
さあ、地図を広げよう。
僕たちにもあの人の後を追う覚悟が出来た。

そのときを、ただ待つ　：　道具

どうして、産まれた?

それは私には答えることは出来ないな。なぜなら、私は私の意思だけでは身動きすら出来ない、ただの物体でしかないからね。

それでも、待っている?

ああ。私を雇用しようと試みている人間がいるから。

切ない表情では?

それは、あなたの主観がそう訴えているだけで、それ程影響の輪は広がりを見せない現象だと言えるね。しかし、私をそう見るのなら、それでいい。私を誕生させた人間も、もしかしたら、そういった焦点を見据えているかも知れないからね。

言い切れないと?

言い切れないな。そもそも私は意思を持つことを許されてはいないんだよ。私の活用に挑

む人間と、それを是認する人間が私をどう扱うのかによって、私の位置は一転するのさ。

扱われ方は？

それは、劇を眺めていれば分かるさ。私の果たすべき役割など、劇を構成する人間たちが特異に備えた身体の可動領域に比べたら、見窄《みすぼ》らしいほど狭隘《きょうあい》としたものだと言えるね。

自虐的では？

そうでもないさ。私は自身を幽玄たる存在などと考えてはいないだけだよ。前衛を形成するに足る物体であり得ているかという疑問が、頭から離れることもない。私にはどうすることも出来ないがね。

狂者だと表現した人が？

ああ、確かにいたね。私を顔に貼りつけた無数の人間が能動たる行為に移行する様を想像してごらん。それは、とんでもない狂気であり、変調であり、極めて不健康な光景に映って当然だ。それが、私を是認した人間の創造の範囲内であるとするならば、それは見事に難関を切り抜けたと置き換えられるがね。

自己否定？

いいや。むしろ自己の頃合いは見極めているつもりさ。無機質な物体として自ら表現手法を維持しているわけじゃないんだ。観られることによって、私自身が改まることもない。表情が見える──。

さっきも言ったが、それはあなたが持つ独特な主観がそうさせているだけで、私が何かを描写しているなどということはないんだよ。

私が虚構なる生を授かるのは、特異な技術と体力を保持した人間が、その顔に私を貼りつけたときさ。あなたはとんでもない過大評価をしていることに気づかなければいけない。

誇りは？

悪いがそんな大層なものなど持ち合わせてはいない。

どこかにあるはず──。感じる──。

見当違いさ。

ここにいる──。

それは私が望んだことじゃなく、私を是認した人間の行いさ。

どこでもいい？

意地の悪い質問だ。

私がアニメのキャラクターや戦隊ものの主人公であったなら、私が存在する位置関係は大きく変わっていただろうね。露出のされ方も衆望の量もね。だけど、私がいる場所は前衛でいいんだよ。量も質も私には丁度いい。

また会いに来ても?

構わないさ。だが、そのとき私が今のように意思疎通が可能な物質でいられるかどうかは分からないがね。

意地悪な返答——。

何とでも言ってくれ。

色とりどりな音域を持った価値　：　緩和

私の許容範囲――。
　昨晩から降り続ける雨。
　サヨナラ負けしたタイガーズ。
　溶けかけのバニラアイス。
　読み忘れた連載小説。
　返却期限の切れたレンタルＣＤ。
　飛行機のフライト変更。
　部屋の隅に居座る健康器具。
　擦り切れたジーンズ。

どうでもいいよ――。
日経平均株価。
○○大学卒業。
お金儲けのための本。
誰かと誰かの恋愛事情。
政治家が口にする遺憾の意。
芸能人の薬物汚染。
垂れ流される卑俗なお笑い。
ご一緒にポテトはいかがですか？
あの人は今、という発想。
今年はフェミニンが流行ります。
長者番付。

今、そして、これからへの所期――。

夢を語り合える世界。
国境なき均一。
肌の色で区別されない入口と出口。
道端に咲くタンポポに心寄せる内心。
暴力という軽薄な沙汰へと逃避を行う者の撤去。
宗教と宗教との間に介在する障壁。
戦争　—　大嫌い。

大事なもの—。
前向きに生きる糧。
他人の気持ち。
らしさ、という模様。
初心。
活気。

誰かが誰かを愛してる。
あの人に会いたい。
埒もない談笑。
だらだらした休み。
お婆ちゃんの知恵。

『さあ、今日も頑張ろう』
そう、これが一番大事だったりする。

これからさ、全てはこれから　・　視線

君を打ち壊そうと企てる普《あまね》く影から、守ってあげよう。いつまでも同士でいよう。それは僕にとっては特殊事情ではなくて、平衡感覚のうちのひとつだから。

君の背中を抱きしめたとき、離すのを忘れてしまいそうになった。

こんなにも傷だらけだったんだね。君はいつも闘っているから。

この傷が癒えるまで、幾重もの夜を共に過ごそう。君がその痛みから解放されるまで、僕は何日だって長い夜を過ごせるよ。そして、僕も君の隣でそっと眠りに落ちよう。

朝陽が迎えに来るまで、いつまでもこうして傍にいるから。

君が涙に暮れる日から、救い出したいと思ってる。見当外れな思い上がりかも知れないけど、君を虐める全ての隘路《あいろ》を僕が立ち切って上げよう。

僕も君と一緒に闘おう。君を襲撃しようと企てる邪気の盾になろう。

君が影に取り込まれそうになったとき、僕もその影の中に飛び込むよ。

そしてまた、長い夜が来たならば、僕は君をそっと抱き寄せる。本物の安寧が君の心を満たすまで、やがて明ける夜を待とう。僕も闘うと決めたから。

だから、君はゆっくりと夢を見て欲しい。今は小さな篤い色でも、いつか濃い色に変えてみせるから。

沢山の人が溢れてる。徒爾《とじ》な風景にしか見えなかったけど、君がその情景を変えてくれた。

争奪を繰り返すことが免除される構図と体制に、不確かな手応えを覚えていたんだ。ただ、これからは君がいる。

これから始まる闘いに、孤立を感じずに闘えると思えるだけで、遠くへと旅立つ見切りが生まれる。

これからは、雑多なときに逃げ込むのは止めにしよう。流れる時間に悖《もど》りながら、ただ生きるだけだった過去を捨てるよ。また明日、君に会うために。

この街には広い海があるんだね。夕焼けが染める君の横顔に、ある覚悟を垣間見てしまった。再び、新たな闘いを見据えているんだね。

君に触れたあの夜、優しかった朝陽が幻に変わる。

この街の海には太陽が沈むんだよ。水平線の彼方から、オレンジ色をした光が海面を撫でる。もう仮面を被るのは止めにした。もう一度、君の盾になり代わりたいから。

君の仕草にある決断を見つけた日、それは別れを伴う実情を孕《はら》んでいるのかも知れない。だけど、未来なんて誰にも分からない。それを創り上げるのは、僕たちに委ねられているのだから。

僕は闘うよ。決めてしまったことだから。君の盾になり、ときには、剣も振るおう。持つことさえ躊躇《ためら》いを覚えていた剣を。

そして、休息が訪れる日が来るのなら、また、あの朝陽を君と二人で迎えよう。窓の隙間から舞い降りる淡い光を、全身で受け止めよう。

ようやく、僕の背中にも微細な荷重を感じるようになってきた。君はこんなものと闘い続けていたんだね。

膝が砕け、腰が歪みそうになるけれど、それを繰り返して身体は強さを覚えていく。

傷だらけの君。

やっと、僕にもその痛みが分かるようになってきた。今の僕なら同じ手触りで君と融合することが出来るような気がする。

ここまでくるのに、多くの時間を使ったけど、これでやっと君と肩を並べられるのかも知れない。

それでも、君はまだ先にある闘いに挑むのだろう。今という時間を懸命に生きながら。

これから、僕が行う闘いを君にも見ていて欲しい。挫けそうになったときは、君の温もりを思い出すことにするよ。二人で迎えたあの朝陽の優しさも。

全てはここから派生する。

全てをこれから創り出す。

そして、その全てに僕は干渉してみせる。

それで、全てが手を結ぶ　：　陶酔

未来って意外と目の前にあったりする
だけど　無理に手を伸ばそうとすると
風のようにすり抜ける
未来が寄ってくるのを待つことに決めた
全ての力を注いで準備をしながら

憧れを捨てるは結構簡単だったりして
だって　諦めてしまえばすぐに消える
二度と戻って来ないけど
ゼロになってしまうことは怖くない
そこに立ってしまえば　きっと何かが見えてくる

いつの頃からか　心に芽生え始めた小さな息吹
今では身体全部を包んでる
世界を変えようなんて思ってない
ただ私は私でいたいだけ
そして　今日もこの場所に立っている

ヒトのしんか　：　進化

二億年以上も過去。人類の旅立ちは始まった。

生きるために身に着けた知恵。道具を使うという基礎。言語という通信手段を覚えた祖先たちは、さらなる進化を求めたに違いない。

今、新たなる領域に仕掛けようとする者たちがいる。

その者たちは制限を受けた身体の可動領域を飛躍的に向上させた。

そろそろ、進化と呼ぶに相応しい区域に侵入しているのではないかとすら思える光景として目に映る。

そして、その者たちはそれには飽き足らず、さらにその身体を使って何かを描出させようとする狙いを持っている。

ある集合体を構成し、同等の方向性に向かい描写の組み立てを行う。そして日々またその可動領域を発達させようと試みているのだ。

異常——。

その行為はときにそのような発疹を見る者に齎《もたら》すことだろう。

それを眺める者は、想像を超えた身体の爆発に驚きを覚えるだろう。

そして、それに似た体認を持つ者は、諦めたように首を振ることになる。唇の端に呆れの含んだ笑みを浮かべながら。

権利と義務‥同化

「どうして、私が殺されなきゃいけないわけ？」

女社長は指の間に挟んだやけに細い煙草を軽く含んだ後、剣のある声でそう言った。

「さあ」

私は壁際に寂しげに置いてあった椅子を運び、デスクを挟んで女社長と対峙した。

「さあ、って。殺されるっていうのに理由も聞かされないわけっ」

私はスーツの上着の中に手を忍ばせ、ベレッタの安全装置を外した。コツンという残酷な音が耳に届く。もっとも、これから私が行おうとしていることに比べたら、小鳥の囀りのようなものだ。叶うなら、こいつを使わない夜にしたかった。

「誰があんたを雇ったのよ」

そう言って、女社長が忙しなく煙草を灰皿で揉み消した。上下に揺れる派手なだけの金の指輪がその動きに拍車をかける。

私は小さく首を振って、女社長の問いを受け流した。

「何よっ、どうだっていいことでしょ」

女社長のボルテージが一気に沸点に達する。

私が依頼を受けたのは九日前。

少しの調査で金曜日の夜のこの時間帯、女社長が事務所で一人になることを知った。理由は分からない。だが、そんな時間を必要としている女社長の生き方は、微かに私の琴線に触れた。そして、私が女社長に抱いた印象は『孤独』だ。

「幾らで雇われたの？」

女社長が声のトーンを少し落とし気味に言った。

「あなたと金の話はしたくないな」

「知る権利があるわ」

私はそこで、肺に溜めた空気を細く長めに吐き出した。

「私の命が幾らになるかって――」

「六〇〇万」

最後まで言わせなかった。そして、私が口にした数字は真実だ。前金ですでに二〇〇万円が私の口座には振り込まれている。

「安いわね」

「そんなもんです」

私がそう言うと女社長は脱力したように、見るからに高そうな革張りの椅子に背を預けた。

女社長の背後の窓には、まるで絵画のように、切り取られた街の夜が映っている。しかし、そこで起こっているであろう喧騒までは届いて来ない。地上三九階。ここでどんな音を出そうと、階下には届かない。

「どうする気？」

「いいですか？」

私が煙草のパッケージを翳し見せると、女社長は呆れたように首を縦に落とした。

「良ければ、あちらもどうぞ」

女社長が動かした視線の先にあるキャビネットには、ずらりと洋酒が並んでいる。

「それは結構」

銜えた煙草に火を点ける。

瞬間、女社長が私の背後にある出口に向かって、弾けるように跳んだ。束の間、目を瞑る。耳障りな金属音が事務所を満たした。

私は上着の中からベレッタを引き抜いて、椅子を回転させた。

女社長は事務机の脇でキャスターのついた椅子と一緒に転がっていた。カラカラとキャスターが滑稽《こっけい》音を鳴らす。

女社長が振り向く。顔には恐怖と言うよりも、達観したような満足感が浮かんでいた。無様な姿。見たくはなかった。私は女社長の眉間に向かってトリガーを引いた――。

「で、どうするのよ?」

女社長の一言で、私は空想から義務を伴った夜へと引き戻された。

「出来ればそこの窓から身を投げて頂きたい。最後にやりたいことがあればどうぞ」

言いながら、私は女社長の背後へと視線をずらした。

しばらく無言のときが空間を支配した。銜えた煙草が半分ほど灰に変わっている。

「ダンスをしたかったわ」

寂しげに女社長は呟いた。

「ダンス?」

「そう、チークダンスよ。それも、朝まで続くやつ」

影のある悲哀を目に浮かべ、ふらふらと立ち上がった女社長の姿が窓の外に消えた。窓の下には深紅のヒールが残されている。

私は煙草を吸い終わるまで、女社長が消えた窓の外を眺めていた。潔のよい最期《さいご》だった。街のネオンがやけにけばけばしく目に映る。

一応、これで私の仕事は成功したことになる。だが、どこか敗北感に似た何かが胸をちくりと刺した。

今日という束縛の中で、どこまで行けるのか　：　静と動

中央に一人の男が腰を下ろしている。
男は僅かに前屈みになりながら、ある生産を見つめている。

ある生産は続く――。

相変わらず、男は微動だにしない。自分がある一定の範囲に於いて挙動可能な個体であるということを、忘れてしまったかのように。
ただ、その瞳の奥に忍ばせている狂気を含んだような尖った光が、男が今を強烈に生きていることを知らせてくれる。

ある生産は続く――。

男は短い言葉と共に、不意にそのある生産を止めた。

刹那、物理的に制限をされた箱の中の空気が凍りつく。

プロレタリアたちの頬を伝い、顎から滴り落ちた汗が途端に凝氷し、フロアの上に音もなく砕け散った。

遠い昔に起こった出来事を思い出すかのような容相を浮かべながら、ゆっくりと男は腰を上げた。

微かな苛立ちが男の背中を覆っている。

プロレタリアたちは、すでに男の判決を待つ羊の群れに姿を変えてしまっていた。目に微弱な畏怖と、嘱望たる渇仰を浮かべながら。

男は茨の鞭を振り下ろす代わりに、自らの身を犠牲にしながら激烈に発動する。彼らに求める生産を、自らの身体でさし示す。

プロレタリアたちは、男の動きを細分まで見逃すまいと力を込めた目線を向けている。男の苛烈な動きは続く。

言葉を超えた功績――。

男が伝えたいのは、そんな非物理的で、非科学的な根拠のない存在。どうやら、プロレタリアたちも、それを心得ているようだ。
男は一定の動きを止め、細めた目を巡らせる。

伝わったのか――。

男は横顔に浮かんだ翳《かげ》りを一瞬にして掻き消し、再び果敢に躍動を開始する。
自らが求める極地へと、物理的に制限をされた箱の中を満たす空気を昇華させようともがきながら。
ある生産は静と動を織り重ねるようにして、男が描く創作物へと進化の兆しを見せ始める。

プロレタリアたちは再び労働を開始する――。

姿勢を前屈みに戻した男は、彼らの傍を離れずにその所作を目に映す。一部の隙もないその視線の先で再開されたある生産は、所定の成果を見せ始めた。

時折、男は否定の咆哮を上げる。プロレタリアたちは男の叫びに呼応するように、ある生産を見事に更新させる。

男のもがきは続く――。

果てしなく平坦な地平線の先に、構築を試みている創作物の落成を見定めようともがいている。

ある種、男にとっては制裁のようでもあるが、それは男が自ら定めた道なのだ。男はその受難を受け入れながら無心にその道を突き進む。

プロレタリアたちは男を崇めながら、その導きを享受する。

自己犠牲を済ませた男は、再び中央の居場所に退行した。


あと、ひと月――。

腰を下ろす寸前、男は些細な独白を口にした。
それが、男の身体の内面を満たす苦悶と苦悩を示す、たったひとつの明細なのだ。

あー、あれやっとけば良かったな　：　黙想

後悔するのって嫌じゃない？

だって、あとから分かるわけでしょ。『あー、あれやっとけば良かった』って。

そんとき、気づけばいいんだけど、私の頭はそんなにうまくは出来ていないし、そもそも、そのときに分かってればやってるはずだもんね。だから、私はこうして書きのこすことにしているの。

原始的？

そう。原始的にやらないと、頭にのこらないんだよね、これが・・・。

身体動かして、初めて気がつくことってあるでしょ。『あー、こういう感じね』って。それをノートに書きためておくのよ。自分の言葉で。そうするとさ、不思議と次は出来ちゃったりするんだよ。

毎日、そんなのの繰り返し。でもさ、その積み重ねが、大きなコトだったり、モノにつな

がるんじゃないかなー。少し面倒くさいけどね。

でも、そんなことが結構「大事」だったりするんだよ。無駄なことはないっていうかさ。ちょっと、偉そうな言い方になちゃったね。だけど、これホントだよ。

後悔って何回出来ると思う？ どっかで聴いたことのある言葉だな・・・。まあ、いいか。私はそんなに沢山の〝後悔出来ます回数券〟を持ってないように思うんだよね。そんなに器用な方じゃないし。

周りに『何でも出来るなー』って人いるでしょ。正直、羨ましいよね。でもさ、そういう人も、どっかで努力してるんだよね、きっと。だってそうじゃなきゃ、不公平だもん。負け惜しみかな。でも、いいや。

私は私のやり方で夢叶えたいもんね。そのためなら、力出すことなんて惜しまないよ。練習終わって、どんなに疲れてたって書く。出来なかったところがあったら、もう一度鏡の前に立って踊ってみる。

それでも駄目なら？

出来るまでやるって言いたいところだけど、辛いときもあるよね。私これ出来ないや、って。もう、無理って。そういうときはさ、えーと、しばらく止めちゃうの。あっ、これ内緒

だったんだけどな・・・。

そんで、一ケ月とか半年とか経ってからノート眺めるでしょ。それでやってみんの。そうするとね、案外出来るときあるよね。『あれ？　何か抜けたな』みたいな。これ体験しないと分からないんだけど、とにかく、そういうときがあんの。

そういう瞬間て、そのとき出来ていないことなんかも、一緒になって出来ちゃうようにしてくれるんだよね。不思議だよね。何かが引っ張ってくれるんだろうね。『見えざる手』が。『神の手』か。あっ、そんな大層なものじゃないか・・・。

それが努力とか言われると、ちょっと照れ臭いけど案外そんなもんだったりするよね。私、悔しいからやってるだけなんだけどさ。

悔しさって忘れたくないよね。

自分より上手く踊れる人って沢山いるんだけど、そういうの目にしたとき『あれなら私だって出来るよ』みたいに思っていたいよね。冷めた目で観ていたいね。『憧れ』なんて思ったら、多分、一生追いつかないんじゃないかなー。『憧れ』は一生『憧れ』で終わるから。

いつか追いついてやる、じゃなくて『あれくらいなら、私にも出来るよ』って軽い感じで眺めんの。そんで、実際にやってみると『だめだこりゃ』くらい全然出来ないんだけど、それをまたノートに書いておくわけ。その繰り返し。泣けてきちゃうね、もう。私、まだ駄目だって。

インターネットに検索かけてポンって答えが出て来るってもんでもないし、たとえ出てきたとしても、それ絶対怪しいよね。

それで、自分を知るってこともあるんだけど、たいがい悔しさの方が勝っちゃう。もうそうやって生きて行くしかないかな。それでいいんだけど、まあそんな感じ。

大量生産がない風景　：　緊張

今、この瞬間に起こっている気流、微熱、緊縮は二度と戻って来ない咄嗟。背後に並べられた木箱の微妙なずれも、しばらくして同様に復元を試みたとしても、それは二度と再生という形状には落着しない形態。

それがアートと呼ばれる品種たちの空模様で、気象予報も見当不能な気圧配置が管掌している世界。

その絶妙でいながら繊細で、些細な歪みの蓄蔵がアートという神秘的な創造物を形成するのだ。

『あらためて・・・』という行為が欠如してしまったある種異様な世界。それに対して、ほぼ同種たる思慕を寄せる性。それでアートと衆目の間にあるバランスは保たれている。

創造物のお披露目は、普通二、三日継続されて執り行われるが、その全てに目を通したとしても、昨日、あるいは先ほどのものと同じであったという所感は抱かないであろう。

なぜなら、その場所を統括する温度、湿度、密集度合い、体調、気候さえもその所感に余波を引き起こそうと躍起になっているからだ。

そして、殊勝な人間たちはその統括に違戻《いれい》しようとはしない。

なぜなら、その新鮮な所感から、新約を感受することに喜悦を覚えることを、すでに知ってしまっているのだから。

一〇〇年後、この国の人口は現在の半分にまで減少しているという。

これまで社会を作り上げてきた価値観が消滅してしまうのは、そう先のことではない。だから、今を命がけで生きようじゃないか。

大量なる生産とそれに見合った消費が消えるのはもう間近。だから、アートに縋《すが》ってみようじゃないか。

それは、儚い一夜限りの宴――。

だがしかし、それが心に遺すであろう衝動は、語り継がれるに足る口碑となるはず。

世界が直面している危機――。

それは価値観が急変してしまうこと。

それまで世界秩序を築き上げた良識者と区別されてきた者の仮面は剥がれ落ち、その姿は醜態へと変わる。『時代の流れ』と到底一言では片づけられない品位なるものの地殻変動が引き起こす波。

世界は一度その波に曝される。

そして、誕生する新たなる意義──。

その場所に何があって、何が無くなっているか。今、それは分からない。

真物たる預言者がいるならば、もしかすると返報を受け取ることが出来るかも知れないが、果たして我々にそれが必要であるか。

そんなものよりも、今、創造された刺激に触れる行為が、本来ではないだろうか。恐らく人は環境の流転に耐え、生きる。そのとき、何を手にしていたいか。

その答えは意外と身近に存在している。

毎日垂れ流され続ける雑報に怠《おこた》れているのなら、昨日とは違う通常に思慕を巡らせているならば、触れておかなければいけない事物は無辺にあることを知ろう。

しかし、決して解答を求めてはいけない。

それは、自分自身で解決すべき試問なのだから。

道端に落ちている案内が真理だとするならば、それは唾棄すべきつまらない世界になってしまったということ。

自らが裁定し、心得を保有し、起動する。

ときには、躓《つまず》くこともあるだろう。

ときには、蹉跌《さてつ》を踏むこともあるだろう。

だが、大量生産に身を任せ、意思を持つことを許されない境遇に陥ってしまうよりは、遥かに素敵なことではないだろうか。

二度と戻って来ない咄嗟に、遮二無二突進してみよう。

そのとき、きっと世界は変わっている。

その日がくるから　：　挑戦

「何を見ていたかって？　いや、私、いま目ぇ瞑《つむ》っていたから」

束の間、物書きはそこで黙る。

「いや、いいの。ちょっと、あんたの力を試してみただけだからさ」

そう言って、眉根に微量の皺を寄せながら、彼女は天井を見上げた。

彼女と物書きは、物理的にある一定の許容量に定められた箱の中にいる。物書きは彼女の瞳の中に、ある衝動を見ていた。

ある衝動――。

彼女が背負っている自尊心と、何かに向かって嗾《けしか》け続けている気組み。物書きはその態度に感興をそそられていた。

「昨日、出来なかったことが、急に出来ちゃうことってあるでしょ？　それって、何で？」

不意に彼女が口を開く。物書きはまたもやそこで黙る。

彼女は再び目を瞑る。物書きの存在など、箱の中を満たす空気同然と見なしているかのように、割と呆気なく。

物書きの頭の中は、無数の言葉で溢れ返っていた。かと言って、焦燥を覚えているわけでもなく、頭の中から彼女の質問に頃合いのいい言葉を拾い上げようと思っているわけでもない。そもそも、最初から言葉の答酬など無意味な行為と知っていた。恐らく、隣にいる彼女も。

それでも物書きは彼女が背負っている情景を、言葉に置き換えるための思索を続けていた。自己の中に生まれてしまった感興を消し切れていないのだ。

「止まっていることが一番楽よね」

物書きは彼女の横顔に目を向けた。

そこには、微かな翳りと能動的な光芒がほどよく混在していて、彼女が新しい何かを掴み掛けていることを物書きは知る。

「一度、表現してしまったら、それは取り返しがつかないわけでしょ。過去には戻れないんだから」

彼女の鋭利な言葉は続く。

「だから、何もしないことが一番楽なわけ。誰にも見られないで、誰からも何も言われないでいられるから」

物書きは軽く頷きながら、自らが過去に残してきた言葉の群れを思い返す。

「だけど、今ここでやっていることって、いつかは人に観られるわけでしょ。そもそも、そのためにやってるわけだから」

物書きは先を促すように、首を傾けた。

もう、彼女に他の質問をぶつけるなどという愚行を犯すことはない。それは彼女が悟ったようなことを口にしたからではなく、彼女自身の生存も労働も思考をも言葉にするべきではないという感触を抱いたからだった。

「じゃあ、また」

そう言って、彼女はスポットライトが照らし出すフロアに一歩足を踏み出した。もう二度とこのような、あやふやなときが戻って来ることはないことを知りながら。

物書きはその肩に向かって、目には映らない手を伸ばす。

最初に口にしてしまった質問の答えだけは知りたかった。

「手を抜きたくないの。楽をしたくないのね」

彼女が踏み出した一歩によって二人の間に生まれた隙間に、物書きが多少の心残りを抱きながら伸ばした見えない手を感じ取ったかのように、振り向いた彼女はそう言った。

物書きは含羞《がんしゅう》を堪えながら、微かに顎を引いた。

「性分ね」

最後に彼女は僂さという影を含んだ言葉を呟いた。

そしてそれは、物書きを充分に納得させるに相応しい二文字だった。

身体に刻まれゆくもの　：　協和

磁石の－と－は、どうしてか衝突をし合う。同じ仲間に見えるのに・・・。

それは、ネガティブな者同士の会話が何かしらフェイクの解決策を得て、同時にフェイクの盛り上がりを見せた後、やがてこれもフェイクの終焉を迎えるかのように。

かと言って、＋と＋もまた、どうしてか反発を起こす。こちらも同種に見えるのに・・・。

強い者同士がその持てる力を鼓舞し合っても、それは不協和音だけを唯一の遺留品として影を消してしまう。


一見、相性のいい組み合わせに思えるものたちが実は嫌悪を示し、対蹠的に思えるもの同士が一致をする。

それがこの世の中に於いて、様々なバランスとなって存在し、世界の均衡は保たれていたりして・・・。

かつて、世界を揺るがす大きくて、愚かな戦争がこの地球上で起こり、多くの不和と確執が生まれた。それは今でも影を引き摺っていて、紛擾《ふんじょう》と葛藤をあからさまにするときがある。

同種のように見えながら、実は異質な個体が人間であるとするならば、その不協和音は音量を増し続ける。

そこで、擡頭するのが協和という心意。

ヒトは一人では生きてはいけない。他者の助けを借り、ときには啓発や感化を傍受しながら生きていく。

それが人間の根底・・・。

仲良くしなさい、と母は言い。

恵まれない子供たちに愛の手を、と乾いた声でナレーターは言う。

かつて、『戦争反対』と学生たちは群れ、吠えた。

無垢な子供は素朴に呟く。どうして、大人は喧嘩ばかりするの？

その一言で、束の間、世の中の均衡が保たれたりするのもまた現実・・・。

強き者同士のダンス。
腕を取り合い、脚を絡ませながら、重力に逆らい床を蹴る。
どちらかが－で、どちらかが＋にその存在を変化させたとき、その動作は一定の芸術として成就をする。
－と＋は生産段階で、何度も何度も入れ替わりを見せながら、終焉へと向かう。

それが助け合い──。

しかし同時に、その終焉は結末ではなく、休息でしかないことを彼らは知っている。身体に刻み込まれた次なる生産がすでに開始をされているからだ。流れゆく時間軸と共に。

世の中の均衡——。

－が＋に変動することはない。

それでも、均衡は保たれなければならない。ある者が存在を消しながら保たれる均衡は、やがて壊滅をするだろう。それは真なる均衡ではなく、理不尽に括られる。

どうして、大人は喧嘩ばかりするの？

身体に、心に刻まれて生を受けた魂の叫びがその言葉にはある。

しかしながら、それは手軽に心の中から消散してしまうことも現実・・・。

なまら・ひっで・なんさー　：　故郷

荷造りを終え、リビングへと足を進めると母の隣で見覚えのあるお爺ちゃんが、美味しそうにお茶を啜っていた。

「こんにちは」

私はお爺ちゃんに向かって軽く頭を下げ、すまし顔をした母へと視線を送る。

「あのね、このお爺ちゃん、知ってるでしょ？」

母の言葉に自然と眉間に皺が寄る。

知っている。確かに私はこのお爺ちゃんをどこかで目にしている。だけど頭の奥にある記憶箱の抽斗《ひきだし》の鍵を、私は無くしてしまっていた。

私は母とお爺ちゃんとの間に出来た隙間の、ちょうど中間地点に向かって曖昧に頷いた。

「お爺ちゃんね、昔、新潟にいたことがあるんだって。だから、あなたに会わせようと思って」

「そうなんだ」

私はお爺ちゃんの顔を窺いながら、母の隣に腰を下ろした。お爺ちゃんは大切な物でも隠し持つような仕草で、湯呑茶碗を掌の中に包み込んでいた。

「お爺ちゃん、この娘、明日から新潟へ行くの」

「そういんかね」

母の言葉を受けたお爺ちゃんは、半分眠りに落ちたかのような声でそう言った。

「ほら、あなた、訊きたいことないの？」

母が捲し立てるように、私の太腿を叩く。訊きたいこと？ 特に無い。それに相手はお爺ちゃんだ。それも半分眠りに落ちた感じの・・・。妖怪を思わせるような・・・。

「いや、あのー」

「お爺ちゃん、新潟ってどんなところなの？」

言い淀んでいる私を制して、母が口を開く。どうやら、新潟という土地の特性を訊きたがっているのは母の方のようだ。

「冬はなまらさーみよー。雹も降るっけね」

『えっ？』思わず出かかった言葉をなんとか飲み下しながら、母の顔に目を向ける。ね

え、お爺ちゃん何て言ったの？

「そうなのー」

お爺ちゃんに向かって、堂々と相槌をうつ母。

嘘だ。母はきっと今の言葉を理解してなんかいない。

「食べ物は何が美味しいの？」

「そらなー」

お爺ちゃんは一呼吸置くように、そこでお茶を啜る。

「のっぺぃはよう食ったのぅ。それにやっぱ米らわね」

何て？ お爺ちゃん何言ってんの？

「魚もいいのが獲れるっけさ。酒もひっで呑んだぁ」

「ふーん」

お爺ちゃんの言葉の後に、母の相槌は続く。この演技力、天然ぶり。私には到底真似することは出来そうもない。

「食いもんはうめんさー。だけど、やっぱ、さーみのがのー」

お爺ちゃんの理解不能な言葉は続く。

「お米が美味しいみたいね。それに雪も降るみたい」

母が『どうだ！』と言わんばかりの顔を向けて寄越す。でもそれは、私だって一般的な知識として知っている。

「今のが新潟弁なのねぇ」

「新潟弁？ 新潟って方言あるの？」

「それはどこへ行ってもあるでしょー。あなたも今のお爺ちゃんの言葉くらい理解出来なきゃだめよ」

お母さんは理解したの？ 言いかけたが止めにしておいた。言ったところで、うやむやにされるに決まっている。

「いや、ごっつぉになったのー」

そう言って、お爺ちゃんがコマ送りにしたビデオテープのような動きで腰を上げる。

「いえいえ、お構いもせず。そうだ、お爺ちゃん、後で瓶ビール一ケースお願いね」

「おいよー」

曲がった腰でリビングをゆっくりと出て行くお爺ちゃんを、母が見送りに出る。

私はそこでお爺ちゃんの正体を思い出す。

あのお爺ちゃんは、角の酒屋さんだ。

そう言えば、店先で駄菓子も売っていて、子供の頃は学校の帰り道によく立ち寄ったことを思い出す。

確か、あのお爺ちゃんには妙なあだ名もあったはずだ。思い出せない。そして、お爺ちゃんが店に帰って、母の注文を覚えているのかどうかすら怪しい。

「なまら。さーみ。のっぺぃ。うんめんさー」

私はお爺ちゃんが言った言葉を口にしてみた。

「なまら。さーみ。のっぺぃ。うんめんさー」

どこかの山奥でこの言葉を呟くと、ガラガラと大きな石門が開きそうな呪文のようだ。それにしても、響きがどこか心地いい。意味は全く分からないけど。

「なまら。さーみ。のっぺぃ。うんめんさー」

もう一度呟いてみる。

私はお爺ちゃんが残していったこの言葉を、どこか気に入っていた。

新潟弁、大丈夫かな・・・。

ヒトガツクルオト　：　聴覚

ときに人が全身を使って創り出す音は、いつもイヤホン越しに聴いているあの音楽よりも綺麗だったりする。それはデジタルではなく、〝超〟アナログな音域。人が人に何かを伝えようと、一生懸命絞り出した音。

だから綺麗と感じるのかも知れない。

人間がある意味、楽器になりすまして出す音。それを耳にすれば『綺麗だな』と思って当然。もちろん、それを耳にする状況にもよるのだけれど、聴く側が心を開き、素直で無垢な状態でいる場合、たいがいその音は綺麗だということに気がつくだろう。

その原始的な音が聴く人の心を動かすとき、ダンスはもっと綺麗に目に映るようになる。

しかし、その音をもう一度聴きたくても、残念ながらもう手は届かない。恐らく最新機器を使って録音をしたとしても、同じ音には聴こえないはず。それがライブのいいところだったりもする。人って凄いね。

床を蹴る音――。

太腿から発生した力がふくらはぎを伝わって足の裏が床を蹴る。お腹の真ん中にズンっと響く音に妙な迫力を感じる。穴が開いていないことを確認するために、そっとお腹を撫でながら、その音の余韻に浸る。
破壊的で狂暴だった割に、心には安堵をもたらすその重い音。ダンサーはそこで一呼吸リズムを取っている。
何よりも、一生懸命生み出した音だから、きっと心地よく耳に届くのだ。

掌が鳴らす音――。

人が創る音で最も多くの場面で耳にするのは、掌と掌が衝突する音。
ときにそれはスタジアムの拍手だったり、初詣での神社でだったり、夏の蚊を退治するときだったり、街角で彼氏の頬を叩いて去る、赤いハイヒールを履いたクールな女性だった

り。（あっ、これは少し違う・・・）

ダンスの中でのそれは、見事に一致して耳に届く。

『あれ、拍手ってこんなに綺麗だったっけ？』と思わず自分でもやってみる。だけど、何かが違う・・・。いや、圧倒的に違う。これも作品の中でダンサーがやるから綺麗なんだな。

試しにもう一度。やっぱり違う・・・。

叫ぶ声。雄叫び──。

しばしば作品に登場する叫び声、雄叫び。

軽く引いてしまう自分を感じながらも、その猛々しい声につい身を乗り出してしまう。

ヒトの原点とも言える『声』を楽器や効果音に形を変え、作品の一部として使う。これも人が創る音のひとつ。そして、その表情がまた凄い。それもダンスの一部なんだな。

ただ大きな声を出しているのとは違う、ただ怒鳴っているのとも違うからこそ、その声によって独特な世界がステージの上に広がっていく。

息遣い。呼吸——。

肺が限界を訴え、肩が上下に激しく揺れる。純粋に身体が空気を求めるとき、呼吸の音すら美しい。

こんな音の群れたちも、作品を構成している要素のひとつ。
人間が動くからこそ耳にすることが出来る綺麗な音たち。角度を変えて見てみると、色んな美しさがそこにはあって、それを感じ取ることが出来るのも人間だからこそ。
一生懸命が創り出す音。
それは綺麗な音域へと昇華する。

ヒトっていいよね　：　集合体

同じ方向を向いて、同じ価値観を抱いて、同じ空気を吸いながら、同じ汗をかく。
　喧嘩もしたよね—。
辞めたくもなったし—。
あれもこれも叱られたけど—。
それでも、誰かを信じてた—。

どうやっても、出来っこないって逃げそうになった。隣を向いたら同じ顔してた。
舞台に上がるのが怖かった—。
練習さえも怖くなった—。
それでも、ボクたちにはこれしかなかった—。
もう一度あの日に戻れたとしても、ボクはきっと同じ道を選ぶ—。

夢は何ですか？と訊かれることから逃げていた。答えられない自分がいたから。
いつからか、笑顔で夢を口に出来なくなっていた——。
それを社会と大人たちのせいにすり替えながら——。
夢を奪ったのは誰なの——。
結局それは『ボク』が『ボク』から逃げていただけだって気がついた——。

やりたいことって沢山ある。その中から何を選ぶかは自分次第。結構、難しいけど。
好きなことを決めるのは自分——。
だけど、適正と評価を決めるのは他人——。
微妙なバランスだけど、なりたい自分になりたいよね——。
一度は思いっ切り跳んでみようよ——。

一人じゃ無理だと思っても、『ボク』と『ヒト』の足し算で世界はずっと広がるんだ。
いじけたときに愚痴を聞いてくれる友はいますか――。
一人でもいれば大切な宝物――。
愛する人がそばにいますか――。
それが見つかったとき、空から勇気が降りてくる――。

十人十色。ボクもその中の一色。どんな色にだって負けない、強い自分でいたい。
色んな人がいるよね――。
十人いたら十人分の色がある――。
混ざってしまえば黒色に巻き込まれてしまう――。
輝きたいなら、自分の色を持たなきゃね――。

くじけそうになるときもある。負けそうになるときもある。それもいいじゃない。

負けて涙を流すのは悔しい―。
だけど、それってある時期の特権だよ―。
素直に涙を流そう―。
枯れるまで泣いたら、乾いた喉を潤して、それから、もう一度泣こう―。

ヒトがヒトを集めて、集合体を作る。その集合体はきっと凄い力を持っている。
自分を成長させたいと思ったら、何かをしよう―。
その何かが分からなかったら、何でもいいからやってみようよ―。
やってみてから分かることって結構たくさんあったりして―。
やらないよりはいいよ。きっと、その方がいいよ―。

ひとりじゃ何にも出来ないし・・・。　：　協働

一人でいることは好き。だけど、一人だけで何かしようと思っても、やっぱり限界があるってことは知っている。だから仲間が必要で、会話も必要で、ときには体温を感じ合うことだって必要で。

『ヒト』と『ヒト』との距離感ってそれぞれ違うものだから、言い合いにもなるし、それが鬱陶《うっとう》しかったり、怪我だってすることもある。面倒なことも多いよ。

それでも、やりたいことがある。だから、そんなことから逃げてちゃ駄目で、ぶつかり合わなきゃいけないよね。

やりたいことなんてないよ――。

ずっとそこに留まっているの？　いつまでそこにいるつもりなの？　多分、多分だけど、自

分から動き出さないと、誰も救ってくれないんだよ。

でも動き出す力を出すのって凄く辛くって、考えてる以上にエネルギーがいるんだよね。

それは経験したから分かるよ。

一人でいるのって楽だもんね。自分のことだけ考えてればいいし、今の世の中、別に飢え死にするわけでもないしさ。だけど、『生きている』んだって実感したいじゃん。『やり遂げたな』って、熱くなる瞬間を体験してみたいじゃん。

だから、こんなことやってんの。


やりたいことって、どうやって見つけるの――。


そんなに簡単に見つからないよ。今だって、たまには辞めちゃいたくなるときもあるし、これが本当の自分なの？ って思う瞬間もある。

答えはずっとずっと先にあるんじゃないかな。でもさ、信じるしかないじゃん。今の自分が本当の自分だって。

そうだ。『燃えてる』って思えてるから、これやれてるのかも知れない。つまんないなんて

思ったら、とっくに辞めちゃってるよね。つまんない時間を積み重ねたって無駄だもんね。

強い人の意見に聞こえる——。

そうかもね。今、燃えてるから。

だけどさ、同じ人間じゃん。こっちが強くて、そっちが弱いなんて誰が決めんの。これも多分だけど、そう決めているのは自分だったりしない？

だけど、そんなに簡単じゃないよね。それも分かってる。死んじゃいたいくらい迷ってた時期があるから。これで一生やっていけるかって・・・。

色んな人に相談もしたし、反対もされた。けど、最後に決めたのは自分。だから、毎日、精一杯やってるよ。やれるところまでやってやろうって思ってる。もう、開き直りに近いとこあるかも（笑）。

何から始めたらいいのかが分からない——。

分かるっ！今の自分じゃ駄目だって思ってはいるんだけど、じゃあ何から始めたらいい

の？　ってね。そうだな・・・逃げ場所が分かってるんなら、まずはそれを止める。そこから抜け出す。

だけどこれって、凄く難しいよ。言うほど簡単なことじゃない。思ってるより、時間も掛かるかも知れない。だけど、それが大切な一歩目になるんだと思う。

それから、楽しそうだなって思えることを何でもいいからやってみなよ。何でもいい。出来るなら人に喜んでもらえそうな何かがいいんじゃないかな。

ダンスやっててね、観てくれた人から『ありがとう』って言われたとき、涙出たもん。『あー、自分なんかでも、人の役に立つことが出来るんだなぁ』って。だって、好きで踊ってるのに、『ありがとう』って言われるんだよ。考えられなかったもんね。

自分にはそんな才能も度胸もない。怖いー。

誰だってそうだと思う。何かをやろうとするときって怖いよ。だって、今までやったことないことに挑戦するんだもんね。

干渉されるのウザいでしょ？　怒られるのも嫌いでしょ？　何より、人と話しをするのって面倒でしょ？　だけど、それはみんなそう。

世の中に成功者って括られている人が沢山いるじゃん？　その中のほとんどの人が一緒だと思う。一握りの天才って呼ばれている人を除いてはね。『俺には才能があった』なんて誰も言わないいんじゃないかな。どこかで努力をしたんだろうね。運もあったかも知れない。

「運も実力のうち」これ当たってると思うな。

やってみてさ、つまんなかったら止めちゃえばいいじゃん。でも、すぐに投げてしまうのは駄目だよ。ずっと、ずっとバカみたいに続けてるとさ、楽しくなるときが来ることもあるから。

駄目だったら——。

それ考えちゃ駄目。縮こまっちゃうじゃん。自分には出来るって思わないと。そう思えるまでの時間、これも試練かもね。

たまにさ、何でも上手にやるなーって人もいるけど、比べないことだよ。自分が出来ることを続けることの方が大切。それもずっとね。きっと見ていてくれる人がいるはずだから。

それも信じ続けること。これも少し試練だったりするけど。

そして、いつか人から『ありがとう』って言われる日が来たら最高だよね。今の自分を振り返っていいのは、多分そのときだと思う。

頑張れ！　なんて言わないよ。そんな言葉だけで、何かやれるようになんてならないしね。

それ知ってるから。

『ありがとう』っていい言葉だと思わない？

いつかそんな日が来るといいね。きっと来るよ。

支配からの逃走　・・　跳ぶ

無為自然――
この地上に生を受けた瞬間から、抗うことを許されない実情、支配

重力という外圧
呼吸をするための酸素
生息を保存するための飲食と就眠
ある社会に順応するための研鑽
全世界を支配する時間軸の流れ
予見不能な天変地異
宇宙との隔たり
太陽の熱

身体の老境
その先にある死

落花狼藉——
その実情とは別次元にある事態

戦争という自殺行為、愚行
主義が生み出した歪み
軽薄化した政治
拝金主義なる粗忽
宗教が流転した暴力
自国の利点のみ思考する脳
軽んじられる命
肌の色で変化を見せる疑惑

他者を巻き込む毒のある自堕落

活発艶麗 ―
その事態を鑑み、純粋で無垢なる行い

実情に反することに敢えて試みる行為
感銘を呼び込むための鍛錬
真っ直ぐに見つめる夢、希望
切磋琢磨という基本的な思考
他者を慈しむ純真
身体に刻まれた情熱
会話という特別な能力
先人たちの遺産、哲学
芸術という多少の刺激

一意奮闘 ―
そして、辿り着いた創造という地点にある何か

身体が創り出す美
衆目から贈られる喝采
見えざるものに近づいたような高揚感
目には見えない自信
生き抜くための覚悟
そして今日、私は重力に挑戦して跳んだよ

ラブ ＆ ピース ＆ 気合い と カフェラテ ： 黙然

今日二杯目のカフェラテをテーブルの上に置いて、窓の外に目を向ける。

店内に客はまばらで、私のように黙ってときの流れに身を委ねている人もいれば、親の仇のような表情を携帯電話のディスプレイに向けている人もいる。そして、奥の席をまるでお座敷のように陣取る高校生の集団。彼らが時折上げる嬌声がやけに喧しく耳に届く。

そんな日常。ごくありふれた日常。

街頭では来週に迫った選挙の候補者らしき人が、スクランブル交差点を歩く人の群れに向かって何やら吠えている。足を止める人もいれば、候補者の声も存在自体もないものとして横断歩道を闊歩する人もいる。

それも日常。

私はそんな人の波を横目に新しいカフェラテにストローを挿して、軽く口に含んだ。

「ごめん、待った？」

それは彼女が長年口にし続けている決まり切った挨拶で、そこには何の反省も詫びも含まれていないということを私は知っている。

「それがさ、課長がいきなり――」

彼女のマシンガンのような言い訳はいきなり爆発する。

私には彼女が口にした『それが』が何を意味するのかさえ分からないのに。

それでも、彼女との関係はこれまで平穏無事に続いてきた。彼女曰く、これが俗に言う腐れ縁というやつで、一生続くものなのだそうだ。残念ながら、私はそれに反論するだけの用意と興味も持ち合わせていない。

「・・・ねー。酷いっしょ？」

「そうだね。それは酷い話」

どうやら、彼女のマシンガンはようやく弾切れを起こしたらしい。

「一二番カードでお待ちの方～」

「はーい。ちょっと待ってて」

彼女は忙しなく響くその言葉とスツールの上にバッグを残して、カウンターへと駆けて行った。

私は再び候補者に目を向ける。相変わらず熱弁は続いている。

「何見てんの？」

「えっ。あー、あの人」

私がそう言うと、スツールの上のバッグをずらした彼女がそこへ腰を下ろした。

「なに？ ああいうの興味あんの？」

「興味って・・・気にはなる」

「まじで？ あの人どこの人よ？」

私は彼女の言葉を聞き流して、カフェラテを口に含んだ。そう言われれば、私はあの候補者の所属する党も、そして、名前さえ知らない。

「私だって知らないわよ！」

ストローを前歯で噛みながら視線だけで問うと、彼女は慌てながらそう答えた。

「何か言いたいことがあるわけでしょ？」

「じゃない」

「だから、あんなに必死に叫んでるわけだ」

「あんた、何言ってんの？ どっかおかしくなった？」

私はカフェラテを喉に流し込みながら、候補者へと目を向けた。

どうして、あの候補者が気になるのかは分からない。だけど、無性に惹きつけられるものがある。

「それより、あんた話って何よ」

「あー」

私はそこで私が彼女を呼び出した理由を思い出す。

「新潟へ行くことになった」

「へっ?」

肩を竦めた彼女の眉毛がへの字に歪む。

「だから、新潟に行くの」

「何しに?」

彼女はそれが特段不思議なことでもないような仕草を見せながら、ストローを銜《くわ》えた。

「あのさ、しばらく向こうで暮らす。受かったの、オーディション」

「まじっ?」

急に彼女の横顔に翳りが浮かぶ。友との別れに感傷を覚えたか。

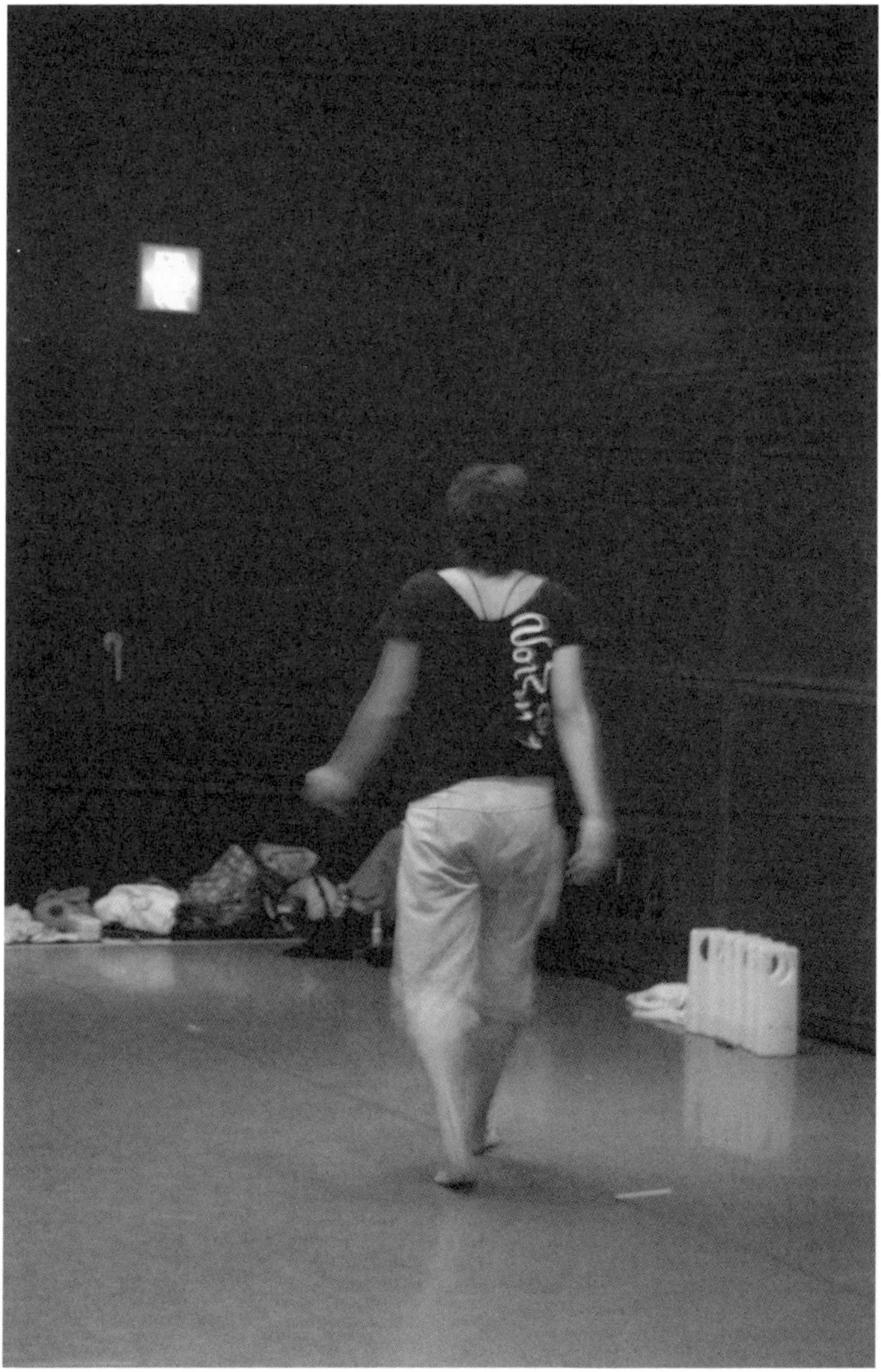

「新潟って寒いよー。あんた、寒いの嫌いっしょ。あんたの背丈以上に雪降るんだよー。平気なの？」

感傷かと思った感情は、どうやら私への攻撃の序章だったらしい。目には悪戯な光が浮かんでいる。肩を両腕で抱えながら、身震いまでして見せる始末だ。

私はそれを無視しながら、再び窓外へと目を向けた。

高校生の集団が上げる嬌声を耳にした途端、閃きが舞い降りる。

あの候補者は先週の深夜、やけに暗い色をしたスーツを身に着けた人たちが集まる、やけにお堅そうな番組に『LOVE&PEACE』とピンクの文字でプリントされたTシャツで出演して、キャスターに批判を浴びていた一風変わった人物だ。名前までは思い出せない。そもそも、覚える気もなかった。

「ラブ&ピース」

私は窓の向こうの候補者に向かってそう呟いた。隣にいる彼女の顔に、はっきりとした怪訝が浮かび上がる。

「何それ？」

「あの人の主張」

「今どきラブ&ピース？」

「それに今日、気合いが加わった」

「やっぱ、あんたの頭ん中、理解するの無理っぽいわ」

そう言って、彼女が左右に小さく首を振る。

私はもう一度カフェラテを口に含んでから、心の中で『ラブ&ピース』と呟いてみた。ありふれた日常には何も起こらない。

そう、それが現実。

「それで？ いつから行くのよ」

「ん、来週の金曜日」

「へー、いよいよやるのね」

「何するのか分かってんの？」

「どうせ踊るんでしょ。あんたにはそれしかないじゃない」

私は頷く。悔しいけど、やっぱり彼女は私のことをしっかり理解している友だと言える。

「そう。踊りに行くのよ。それに、新潟市内ってそんなに降らないらしいよ、雪」

「そうなの？」

つまらなそうに首を傾げた彼女が、カップに刺さったストローを中指で軽く弾いた。

「そうかー。まあ、頑張りなさい。そのうち見に行くから」

「そのうちね。いきなりステージに立てるってこともないだろうから」

「なに弱気言ってんのよ。そんなに遠くに行くんだから、上を目指しなさいよ。トップ獲りなさいよね」

私の弱気に彼女のボルテージが一気に上がる。私はそれに曖昧に頷いた。

新潟は彼女が思っているほど遠くもないし、寒くもない。私はそれを口に仕掛けたが止めておいた。今は彼女の助言に従うときだ。

彼女の言葉に頷きを返しながら、ストローを銜え窓外に目を向ける。

候補者の周りには、徐々に人が集まり始めていた。『ラブ&ピース』の気合いに拍車が掛かる。

カフェラテが舌に少しだけ苦く感じた。

野良犬に触れた夜　：　解放

野良犬の挽歌―街―　Another Line

駅前の喧騒を少し抜けたところに、ぽつんとその店はあった。

カウンターに腰掛けると、ボウタイに臙脂のベストを粋に着こなした初老のバーテンダーが微かな笑みを向けて寄越す。

他に客はいない。

一瞬、場違いだったかなと思いながら、一杯目のお酒をオーダーした。

店内は派手過ぎず、細かな調度品も上品なものが揃えられていて、隠れた名店といった雰囲気だ。空気には少し、男の哀傷の色が濃い。この街にこんな店があったなんて知らなかった。

バーテンダーが慣れた手つきで私の前にグラスを置いた。悲しげな気配を背負っている。

何となくバーテンダーにはそんな印象を抱いた。

「お次は何に致しますか?」

一杯目のグラスを空にしてから、しばらく経った頃、カウンターの中央でグラス磨きをしていたバーテンダーが口を開く。微かな笑みを唇の端に滲ませながら。

今日のリハーサルに思いを巡らせていた私には、実に絶妙なタイミングだった。

一杯だけ。

そう思って足を踏み入れた店だったが、バーテンダーの誘いに乗ってみることにした。

「お任せします」

「カクテルはいかがですか?」

そう言って、微笑むバーテンダーの目尻に浮かぶ深い皺が、強い男の味となって店内の空気を帰着させる。私はそれに小さく頷いた。

シェイカーに氷と何種類かの液体を注ぎ、シェイクに取り掛かったバーテンダーの気配が一変する。リズム、テンポ、私には分かる。その所作には一部の狂いもないということが。

踊っている。確かに、バーテンダーはカウンターの中で踊っていた。

シェイクを終えたバーテンダーが、私の目の前に置かれたカクテルグラスの中に黄金色の液体を注いだ。

「ブロードウェイ・サーストでございます」

そう言って、バーテンダーは意味深に小首を傾げ、カウンターの定位置へと戻って行った。

ブロードウェイ・・・。

留学中、ニューヨークで何度も演劇に触れた場所。

いつか夢見ている憧れの場所。

不意にとある疑問がノックを寄越して頭の中に来訪する。

思い過ごしかも知れない。

私はそれを無視しながら、黄金色の液体に口をつけた。オレンジとレモンの香りが鼻腔を擽《くすぐ》り、口の中に微かなテキーラの余韻を残して液体は喉の奥へと消えた。

「美味しい！」

思わず口を吐いていた。バーテンダーが照れたように、それでも恭しく頭を下げて寄越す。

「どうして、私の職業を？」

私は思い切って、頭の中の疑問を解放した。

もしかしたら、私が所属するカンパニーの広告を目にしたのかも知れないし、公演を観てくれたのかも知れない。

「警察官──」

「えっ？」

バーテンダーがグラス磨きをしていた手を止めて、私の方へと顔を向ける。やはり、穏やかさと獰猛さを兼ね備えたような、どこか複雑な雰囲気を背負っている。

「身体を動かしている方だと思いました。だけど、貴女からは権力の匂いが全くしない」

「それで・・・」

「賭けのようなものです。お口に合ったなら良かった」

バーテンダーはまた照れのような表情を浮かべながら、蕭然《しょうぜん》とした口調でそう言った。私はもう一度、カクテルグラスを口に運んだ。

やっぱり、美味しい。

「いつも、こんなことを？」

私はすっかりこの初老のバーテンダーに魅かれていた。魅かれたとは少し違うのかも知れない。切り返しが愉快なのだ。私にはとても爽快なのだ。

「いいえ、たまたまですよ。私も昔、身体を使う仕事をしていましてね」

「身体を使う仕事？」

私の興味は沸々と湧き上がる。今日のリハーサルでの失態は、どこかに消散してしまっていた。

「ええ」

バーテンダーはそこで少しの渋りを見せた。

踏み込んではいけない領域。

私はその態度に引き際を見た。

「お名前をお聞きしてもいいですか？」

「斉木といいます」

「また来ても？」

「勿論」

そう言って、バーテンダーは破顔した。私のような客など少ないだろう。それは店内に流れる空気で分かる。

少し時間を掛けながら、ブロードウェイ・サーストを飲み干して、店を後にした。

道路に出て振り返る。『ガブリエル』店には小さな看板が灯っていた。
どこかで聴いたことのある名前――。

おわりに

金森穣という男

出合い

Noismという存在は知っていた。

しかしながら、その集団がどういう活動をしていて、そもそも何をする人たちなのか、ということまでは全くと言っていいほど知識にはなかった。恐らく今、多くの新潟市民も、あの日の僕と同じ境遇にいるのではないだろうか。

あの日、あるプロデューサーから、金森穣、Noismと村山賢という無名作家のコラボレーションの提案を受けた。

「Noismってダンス集団について書いてみるか?」

あるプロデューサーは、決まりきった挨拶を交わすときのような感覚でそう言った。

「はい。僕が書けるのであれば・・・」

そんな始まりだったことを思い出す。

そして、僕と金森穣率いるNoismとの接触が始まった。

今思えば、あれ程簡潔に誘ってくれなければ、この企画を断っていたかも知れない。僕にとってNoismを書くという行為は余りにも苛烈で、これ程苦悶するとは思ってもいなかったからだ。そう考えると、僕の性格を充分に理解した上での策略に巧みに引き込まれた感もある・・・。


数日後、僕はNoismのリハーサル現場へと足を踏み入れた。今だから正直に言う。そのときの僕の心の裡は『来なきゃ良かった』である。

というのも、リハーサル開始後三〇秒で、僕は完全にNoismに、金森穣に取り込まれてしまったからである。同時に、間の当たりにしているこの凄まじい光景をどのような文章に発展させれば良いのかという疑問に、頭の中は満たされ始めていた。

金森穣とは一九七四年生まれ、寅年の同じ歳である。

初めてのリハーサル見学の後、プロデューサーの計らいで食事をし、僕たちは五時間以上語り合った。同じ歳であったというのが大きい。意外とそんなもので男同士は意気投合を始めるものなのだと、改めて単純な思考回路の認識をした。ちなみに、金森穣も僕も一滴も酒を飲まない。飲めないのだ。そんな中、プロデューサーだけが気持ち良さそうに美酒に酔っていた姿を思い出す。

そして、食事に行った先の鮨屋の大将も一九七四年生まれであることを知り、僕たちは再び盛り上がった。その鮨屋の大将は某有名店の暖簾を最年少で分け受けたという逸材だ。これも何かの縁だなと思ったのを覚えている。

どんな話しをしたか？

それがほとんど記憶にない。僕は金森穣という男の経歴、活動内容などを入手可能な範囲で頭にインプットしてその日を迎えていた。取材という邪推な心持ちもなかったわけでもない。しかし、言葉を交わした瞬間に、その行為は無益であると知った。

紹介を受け、挨拶を交わした瞬間に「あっ、これはリンクしてしまう」と感じたからだ。どう足掻いても魅かれ合ってしまう。そんな男が稀にいたりする。

僕たちを引き合わせたプロデューサーはそれを見据えていたようで、僕たちのファーストコンタクトに対してほとんど何も口にしなかった。後日談だが、『金森と村山は似ている』というのである。請謁《せいえつ》ではあるが、今、それは何となく分かる。

さて、会食時に話を戻そう。

金森穣ははっきりとした苦悩を抱えていた。そして、それを口にした。内容は伏せさせて頂くが、その独白は新潟市民の一人として僕がNoismに抱いていた不同意と重なった。そして、その独白は、僕が本気でこの企画にのめり込む切っ掛けとなった。会食中、金森穣は寂しそうにこうも言った。

「このまま、新潟という土壌に何も残せないで去るのは嫌なんです」と。

負けず嫌いで自信家である彼の性格が如実に表現された、胸を打つ言葉であった。

その言葉に僕は賛同することにした。本気の姿勢を貫こうとする金森穣という男に対しての敬意と言い代えてもいい。

ときにこういった男と巡り合うから面白い。

それは意図していなかった影から、すっと姿を現すのだ。そして、一度重なり合ってしまったベクトルをずらすことは、なかなか難しい。と言うより、不可能に近い。それは、ハードボイルド小説を出版したばかりの僕にとって、まさにハードボイルド的な出会いであった。

僕が書くハードボイルド小説に登場するキャラクターたちは、ほとんど無言のうちに理解し合った他人のために身体と意地を張る。ときには怪我をしても、ときには自らの命を引き替えにしても・・・。

僕にもそんな姿勢が美学と思ってしまっている節があって、金森穣は見事にその対象となった。しかしながら、無言ではいられない僕は、翌日から金森穣宛てにメールを乱れ打ちしてしまったが・・・。

再会

初対面の語らいを終えた翌日から、僕はこの企画を成功させるには、どのようなモノ、本を作り上げるべきか検討を開始した。

カタログを作るというのなら僕はいらないし、写真集を作るのなら尚更だ。僕に求められ

ているものは何か？

考えた挙句、Noismを知らない新潟市民へ、もしくは、これからNoismに触れようとしている方々に、Niosmを噛み砕くことが使命であるとの結論に至った。特に、僕の書く文章がNoismを知らない新潟市民への地図になり得たのならこの企画は成功と言えるのではないかと思い始めてもいた。

そして何より、金森穣という男が新潟にいるのだということを伝えたいという欲求が、身体の内側に芽生えている自分に気がついた。

それだけ、金森穣という男は大切にすべき存在であると実感している。そして、Noismを新潟に根差した存在に高めたいとの願いも同時に生まれ始めてもいた。新潟市民が真に誇りに思える存在へと昇華させる一助になりたいと。

多少、政治的な話しになるが、金森穣は新潟市が『りゅーとぴあ』に誘致をした舞踊家である。当初、新潟市側の要望は、『りゅーとぴあ』の芸術監督になってくれないか？とのものだった。肩書きは『りゅーとぴあ』専属の芸術監督で、そこで行われる舞踊公演に対してアドバイスを行って欲しい、というものだったそうだ。

しかし、そこからが金森穣である。彼はその依頼に対して、『僕が（恐らく、俺がと言ったと思うが・・・）新潟に住みますから、『りゅーとぴあ』に専属舞踊団を組織しましょう』と答えたのだった。

それには新潟市の担当の方も、さぞ困り果てたことだろう。スイス、オランダ、フランスなど広くヨーロッパで活躍していた金森穣が『新潟に住む』と言い出したのだ。金森穣には他の人がそうするように、東京で暮らしながら、必要なときにだけ来県するという選択肢もあったのだ。

そこに金森穣の真の姿を垣間見ることが出来る。要するに、金森穣という男は、中途半端なことが大嫌いで、どうせやるなら進退を掛けてまでやらないことには気が済まない男なのだ。多少、付き合いが深くなり、食事やらプライベートでの会話をしているうちにそれがよく分かるようになった。

自信家で、我侭で、何に対しても興味を持ち、舞踊や芸術のことになるとらんらんと目を輝かせながら口を開く。活動的でいながら、シャイな一面もあり、多少、天然系の男。物欲に欠け、知的好奇心が異常に発達している男。それが僕の目に映る金森穣だ。言葉は悪いが、全ていい意味で捉えて頂きたい・・・。

そして、金森穣が新潟市に求めたその自信は、Noismというカンパニーにまで発展し、国内でも海外でも大きな評価を得ている。

当然ながら、Noismの運営には新潟市民の税金が使用されている。しかし、こういった劇場付きのダンス集団、カンパニーは日本では類がなく、この新潟市の政策は芸術に重きを置くヨーロッパの国々に肩を並べるに値する貴重な成功事例だと言える。

そして、さらに言うならば、新潟市民にはNoismの活動をジャッジする権利と義務がある。ともすると、『税金を無駄に使いやがって!』という批判を生みがちであるが、その言葉を口にするのは、Noismの公演を実際に目にしてからでも遅くはないのではないだろうか。金森穣も『新潟に根ざしたNoismでありたい』『新潟に感謝をしている』という発言を繰り返し口にしている。Noismに触れる前の僕も『税金を——』という一派に属していたということを公言しておきたい。しかし、Noismで活躍する若者たちの真摯なまでの姿、金森穣という男の心意気、そして何よりも、作品の素晴らしさに心を奪われた。

ここで彼の独白を思い出して頂きたい。

——このまま、新潟という土壌に何も残せないで去るのは嫌なんです。

金森穣は新潟市民にNoismを知ってもらいたい、と切に願っているのである。恐らく、相当大きなプレッシャーを抱え込みながら。

『前衛』というカテゴリーは、なかなか受け入れ難いものであることは充分に心得ている。そして、僕も新潟市民の一人であるから、多くの新潟市民が訳の分からないものを遠ざけようとする性質を持っていることも知っている。

だが、このエネルギー、哲学、解放感、音楽、表情、演技力、空気感など様々な言葉の群れで表現可能な作品を目にして頂きたいと心から願うばかりである。

さて執筆を開始した僕に待っていたのは『本の体裁はどうするか？』という切実な問題であった。この検討にはかなりの時間を要した。当初は長編小説を書くつもりでいた。

ヨーロッパから帰国した舞踊の第一人者の男が、地方の文化興隆に寄与する物語──。

しかし、そのプロットは極めて危険であるとの思いが頭を過《よぎ》った。

小説を書くという行為と機会は、僕にとっては本望であるし、手際良くこの企画を進めるにはそれが近道であることは知っていた。

しかし、その場合、物語はフィクションとノンフィクションの中間地点に位置することになり、フィクションの部分をどうしてもデフォルメして描かないといけなくなる。その結果、金森穣にとって極めて不利益を与えてしまうことを察知したのだ。

金森穣という男の純真、繊細、攻撃的な部分を過剰に描き過ぎてしまうことは、Noism自体をベールに包み込むことにもなり兼ねないし、何よりも、執筆の途中で何の意地も張っていない自分が許せなくなると感じたのだ。

そこで進むべき道は、はっきりとした。Noismを浮き上がらせるものを書く。これこそが僕の立つべき位置であると。

そして、本格的に執筆を開始した。文章は全面的にフィクションで書き、読者と感覚のリンクを果たしたい。ノンフィクションである部分は、写真が補ってくれる。そして、感覚のリンクこそがNoismへと興味を導くための道程であると確信をした。

一週間後、金森穣宛てに、僕は再度リハーサルの見学を申し出た。『ホフマン物語』の公演まで二〇日余り。得てしてアーティストは、その過敏な時期に自らが描いている過程の中に、埃が舞い込むことを嫌うものである。その感覚は建築を専門分野としている僕にもよく

分かる。

しかし、金森穣は僕を受け入れてくれた。

それどころか、リハーサルを開始するダンサー全員の前で、『これから、Noismに参加してくれる村山賢さん。写真撮影も気にしないで、話しかけられたら何でも答えて』と言ってのけたのだ。これには正直驚いた。当然、メンバーもピリピリしている。リハーサル前の緊張もある。そんな中での出来ごとであった。

事前のメールで僕はNoismメンバーと会話をしたいと申し述べてあった。同時に金森穣とは出来るだけ話しをしないでおきたいとも伝えてあった。と言うのも、この段階で金森穣と話しをしてしまうことは、これから僕が書こうとしているものの答えになってしまい兼ねないからだ。そして、メンバーとの距離感は、インタビューではなく、あくまでも「会話」であって、僕はそこから言葉を拾い上げたいのだと伝えてあった。

金森穣はそれに対し、彼流のパフォーマンスで返答を寄越してくれたのだ。彼もまたハードボイルダーなりと思った次第、何とも粋な男である。彼との再会はそんな場面からスタートを切った。

公演まで残すところ二〇日余り。

自然とリハーサルにも熱が入る。僕は持参したノートに感じたことを書きなぐった。気になるシーンでは写真も撮った。いつしか、身に着けていたシャツを脱ぎ捨て、タンクトップ一枚になってペンを走らせていた。

午後のリハーサルの第一部が終了となったときには、全身は汗まみれになっていた。それだけ金森穣の創作から、圧倒的な統率力と集中力の熱を自然と身体が感じ取っていたのだ。全身クタクタであった。すぐに階下の洗面所へと向かい、喉を潤し、全身を拭いた。その日の見学は一六時までと聞かされていた僕に、金森穣は思わぬ提案を寄越した。

「これから、ソロの振りを創りますが、見ていきますか?」

素人考えでも、ソロの創作など見学出来るはずがないことは分かっていた。僕だって書いているところを人に見られるのは嫌だ。

実際、ソロパート創作の見学を許可された者は過去にはいないのだという。これは金森穣からの挑戦か? 第一部のリハーサル見学だけで、ヨレヨレになっている僕を裁こうとしているのか?

僕はその挑発に乗ることにした。しかし、金森穣は悪人ではない。それはこれから本格的に文章へと向かう僕へのメッセージだったのだ。

打って変わってピンとした鋭利で冷えた空気が張り詰めるスタジオの中、僕は確かにそのメッセージを受け取った。

創作を享受する井関佐和子さんには申し訳ないことをしたと思う。闖入者の存在は彼女の集中力を容赦なく削いだに違いない。

翌日、僕はメールでお詫びをした。見学は辞退するべきであったと。

しかし、井関佐和子さんから『気にならなかった』との返事を頂き一人胸を撫で下ろしたことを覚えている。

しかしながら、創作という次元は気の遠くなるような狂気を孕んでいる。ましてや、『前衛』という舞台に於いては尚更それが顕著に現われる。ソロの創作を目の当たりにした僕のノートには、『ソロ＝究極の孤独』と書いてあった。金森穣の創作は、それほどまでに恐怖を感じる一幕であった。

金森穣という男

出合ったときから好きになれる男。

それが僕にとっての金森穣だ。惚れるとはまた違う感覚。好きになった――。それ以外に適当な言葉が見つからない。

そして、彼が作り上げたNoism。これをまず新潟市民に観て頂きたいと切に願う。鑑賞の後、もっと観たいと思うか、嫌いだと思うかは観る側の主観性に従うしかないのだが、嫌いなら嫌いで構わない。ただ、傍観者でいて欲しくないのだ。金森穣という男は、スタンディングオベーションも、純粋な批評も同レベルで受け入れる男であるはずである。であるから、尚更、新潟市民には鑑賞をして頂きたいのである。金森穣が新潟という地に滞在しているうちに。

僕は金森穣がリハーサルを眺めている姿勢も好きだ。

彼独特の前屈みの姿勢。

一瞬たりとも、創作の無駄と漏れを逃さないための姿勢。

恐らくそれは、意識したものではないだろう。無意識のうちに身体が自然とそのような反応を示しているのだ。

僕は前屈みな男が好きなのである。前掛かりな男と言ってもいい。

『前へ』という名言を遺して逝去された明治大学ラグビー部前監督、北島忠治氏の言葉を、僕は堪らなく愛している。
　僕の処女作となった『野良犬の挽歌―街―』を読んだ金森穣からこんなメールが届いたことがあった。

―こんなに身近に感じることの出来る小説は今までなかった。重力を感じる状況説明に「あ～、ラグビーをやっていた＝身体を使っている人だな」と身体家としてはとても魅かれ、それはきっと重力を感じる言葉＝身体を感じる言葉であり、自分が信じる「踊ることは重力との戯れ」に繋がるな～と感じ、登場人物の死に際に、村山さんの女性性を感じながら、従来のハードボイルドには括れない村山賢という人のハードボイルドを感じ、俺はそこに共鳴しました―

　少々褒められ過ぎのようにも思うが、書いた側にとっては極めて的を射た評論をして頂いたという実感が、さらに金森穣と村山賢という人間同士の共感性を高めてくれたように思う。
　そして、金森穣からのメールにあった「踊ることは重力との戯れ」という哲学的で悟りの

ような表現を、オープニングのタイトルに引用させて頂いた。人は他者のどこに、何に魅かれるのか分からないものである。

金森穣との出会いがまさにそうであった。僕は金森穣のアートに向かう真摯なまでの態度に、その負けん気に魅かれ、金森穣は僕の身体感に共感を抱いてくれたようだ。

アーティストたる所以

たとえば、デスクの上に散らばった文房具の配列が堪らなく綺麗に思えることがある。それは、意図的に並べられたものにはない美しさであり、一度整理をして同じように再現しようとしてもそれは無理なのだ。

金森穣はメンバーが無造作に積み上げた木箱にその美しさを見出した。この偶然が創り出した産物に美しさを感じられるかどうか。その感覚こそが、アーティストかそうでないかを区別する単純明快な定規なのだと思う。そして、アーティストはその現象を写真であれ、絵であれ、メモであれ、どんな形でも手中に納めたいという思考回路が働くものなのである。

金森穣という男――。

僕が一方的に感じたその男を言葉に置き換えてみた。この短期間の接触にして、この文章量である。これでもまだ書き足りないくらいだ。これから長く、深く付き合いを積み重ねた暁には、再び『金森穣という男』というタイトルでの執筆に挑みたいと思っている。それは果てしない量の言葉の群れになるであろう。僕はそれに挑みたいし、そしてまた、金森穣という男はそれだけ深く、無垢な男であるということを確信している。

金森譲と重なる未来

いつか、金森譲とこんな会話をしたことがある。

『俺は舞踊を通じて、未来に貢献したいと思っている。近い将来、舞踊が義務教育化される。そのとき、今までの経験を使って何かしらの役には立ちたい』

『未来に対しては同じ考え。僕は僕で文章を書くことを通して、誰かが言い続けなければいけないことを、ひたすら書き続けたい』

金森譲と僕の未来、既に自らが存在していないであろう時間軸の先に対して抱いている所感が一致した瞬間であった。お互いに『今』を必死に生きていはいるが、どこかで未来を見据えてもいる。危惧していると言い換えてもいい。再び、共通する本懐を得た僕たちの距離は更に縮まりを見せた。

『前衛』という煩瑣で厄介な環境に於いて、金森譲は必死に生きている。そして、そんな男が新潟で暮らし、活動をしている。素晴らしいダンサーと作品、『りゅーとぴあ』という美麗な劇場がある。そして、金森譲の挑戦はこれからも更新され続けていくであろう。

前文にも記したが、金森譲が創り上げた作品を言葉で示すことは控えることにする。それは、単純に〝ご覧になって欲しい〟からだ。そして、何かしらのパッションを受け取って頂きたい。

それは奥深い感奮となって掌の中に残るかもしれない。熱と化した昂りが、体の中を駆け巡るかも知れない。それとはまた、全く逆の余波を引き起こすかも知れない。しかしそれは、どんな形であろうと実際にそれを目にした者だけに交わることが許可された手応えなのである。

ここで語りたいことは沢山あるが、これ以上金森譲を言葉に改変し、その虚構性を高めてしまう所為は避けよう。それは、実際に作品をご覧になった方々の手に委ねてみよう。

最後にもう一言。

新潟市民の方々へ。Noism に触れてみませんか?

きっと、金森穣はその期待を裏切らず、我々新潟市民に感動を届けてくれるはずである。

そして、それは新潟市民にとって貴重な時間と経験になると、僕は信じて疑わない。

Noism（ノイズム）
りゅーとぴあ新潟市民芸術文化会館が、舞踊部門芸術監督に金森穣を迎えたことにより、劇場専属のダンスカンパニーとして2004年4月設立。日本初、ヨーロッパスタイルのプロフェッショナル・ダンス・カンパニーとして、次々に発表する独創的な企画、作品は、日本のコンテンポラリー・ダンス界を牽引している。2007年以降、海外7か国10都市でも公演。設立後2度の更新を経て、2013年8月までの活動延長が決まっている。2009年9月には、正式メンバーで構成されるNoism1（ノイズムワン）と、研修生が所属するNoism2（ノイズムツー）の新体制をスタートさせた。新潟からの劇場文化発信の一翼を担う存在として、益々大きな期待と注目を集めている。第8回朝日舞台芸術賞舞踊賞受賞。www.noism.jp/

Noism今後の活動予定（2011年3月〜）

■ Noism1 & Noism2 合同公演　劇的舞踊『ホフマン物語』

2010年7月に初のNoism1&2合同公演、新潟限定公演として発表した作品を、静岡でも上演します。

演出振付・空間：金森穣
音楽：トン・タッ・アン
衣裳：中嶋佑一（artburt）
照明：伊藤雅一（株式会社　流）／金森穣
出演：Noism1&Noism2

静岡公演
2011年3月19日（土）・20日（日）
会場：静岡芸術劇場

■ Noism1『OTHERLAND』

外部振付家招聘企画第4弾。2組のゲスト振付家による新作と、金森穣振付レパートリーからの3作品を上演します。

演出振付：稲尾芳文&クリスティン・ヨット・稲尾
アレッシオ・シルヴェストリン
金森穣
出演：Noism1

新潟公演
2011 年 5 月 27 日（金）・28 日（土）・29 日（日）
会場：りゅーとぴあ 新潟市民芸術文化会館 劇場

滋賀公演
2011 年 6 月 18 日（土）
会場：滋賀県立芸術劇場 びわ湖ホール 中ホール

■**「2011 サイトウ・キネン・フェスティバル松本」**参加
小澤征爾が指揮するオペラとバレエを金森穣が演出、Noism メンバーもダンサーとして出演します。

バルトーク　オペラ『青ひげ公の城』
バルトーク　バレエ『中国の不思議な役人』
指揮：小澤征爾
演出振付：金森穣
ソプラノ：エレナ・ツィトコーヴァ
バリトン：マティアス・ゲルネ
ダンス：Noism
演奏：サイトウ・キネン・オーケストラ

松本公演
2011 年 8 月 21 日（日）・23 日（火）・25 日（木）・27 日（土）
会場：まつもと市民芸術館

Noism Archives―活動年譜

2004年

4月：りゅーとぴあ新潟市民芸術文化会館が、舞踊部門芸術監督に金森穣を迎えたことにより、劇場専属ダンスカンパニーとして設立される。

6月：『SHIKAKU』
Noismの記念すべき初作品。観客もステージに上がり、仕切られた空間を移動するダンサーを追いかけながら観る作品を発表。
／りゅーとぴあ 新潟市民芸術文化会館 劇場［新潟］、パークタワーホール［東京］

10月～12月：『black ice』
美術・映像に高嶺格を迎え、『black wind』『black ice』『black garden』の3本立ての作品を発表。地方公立館の共同製作ネットワーク事業として制作。
／りゅーとぴあ 新潟市民芸術文化会館 劇場［新潟］、滋賀県立芸術劇場 びわ湖ホール 中ホール［滋賀］、山口情報芸術センター スタジオA［山口］、宮崎県立芸術劇場 演劇ホール［宮崎］、高知県立美術館ホール［高知］、可児市文化創造センター小劇場［岐阜］、新国立劇場 中劇場［東京］、まつもと市民芸術館 主ホール［長野］

2005年

1月：『untitled』
Japanese Contemporary Dance Showcaseに参加。
／Japan Society［ニューヨーク、USA］、Maison de la Culture Frontenac［モントリオール、カナダ］

2月～3月：『no・mad・ic project』
2003年に金森穣が10年にわたる自らの振付作品を再構築し、第3回朝日舞台芸術賞・舞台芸術賞、キリンダンスサポートを受賞した作品を再演。
／アートスフィア［東京］、梅田芸術劇場 シアター・ドラマシティ［大阪］、りゅーとぴあ 新潟市民芸術文化会館 劇場［新潟］

7月：『Triple Bill』
外部振付家招聘企画第1弾。日本で活躍する気鋭の振付家3人

―アレッシオ・シルヴェストリン、黒田育世、近藤良平―を招聘し、『DOOR INDOOR』『ラストパイ』『犬的人生』の3作品を上演。
／りゅーとぴあ 新潟市民芸術文化会館 劇場［新潟］、シアターBRAVA！［大阪］、世田谷パブリックシアター［東京］

11月～3月：『NINA―物質化する生け贄』

音楽にトン・タッ・アンを迎え、身体の持つ可能性を追求した作品を発表。
／りゅーとぴあ 新潟市民芸術文化会館 劇場［新潟］、オーバード・ホール［富山］、梅田芸術劇場 シアター・ドラマシティ［大阪］、札幌市教育文化会館 大ホール［北海道］、新国立劇場 中劇場［東京］、仙台市民会館 大ホール［宮城］、静岡芸術劇場［静岡］

＊金森穣が第37回舞踊批評家協会賞を受賞。

2006年

2月：能楽堂公演

能楽堂用の再振付を加えた4作品に新作ひとつを加えた5作品のオムニバス公演。
／りゅーとぴあ 新潟市民芸術文化会館 能楽堂［新潟］

5月～6月：『sense-datum』

初めてスタジオサイズという空間的制約の中で創作した、実験的な作品を発表。
／りゅーとぴあ 新潟市民芸術文化会館 スタジオB［新潟］、Art Theater dB［大阪］、金沢21世紀美術館 シアター21［石川］、エル・パーク仙台 スタジオホール［宮城］、つくばカピオホール［茨城］、静岡県舞台芸術公園 屋内ホール「楕円堂」［静岡］

11月～12月：『TRIPLE VISION』

外部振付家招聘企画第2弾。海外で活躍する日本人振付家、稲尾芳文（クリスティン・ヨット・稲尾と共作）、大植真太郎を招聘、『Siboney』『solo,solo』の2作品に加え、金森穣振付Noismレパートリー『black ice』をver.06として再演。
／りゅーとぴあ 新潟市民芸術文化会館 劇場［新潟］、北上市文化交流センター さくらホール 中ホール［岩手］、ル テアトル銀座［東京］、滋賀県立芸術劇場 びわ湖ホール 中ホール［滋賀］

＊金森穣が松山バレエ財団芸術奨励賞を受賞。

2007年

1月～2月：『NINA―物質化する生け贄（simple ver.）』北南米ツアー

初の単独海外ツアー。2005年11月新潟初演の『NINA －物質化する生け贄』を海外公演用にアレンジし、（simple ver.）として北南米4都市で上演。

／Centro Cultural Matucana 100［サンティアゴ、チリ］、Joyce Theater［ニューヨーク、USA］、The Dance Center of Columbia College Chicago［シカゴ、USA］、SESC Pinheiros［サンパウロ、ブラジル］

4月～5月：『PLAY 2 PLAY―干渉する次元』

音楽にトン・タッ・アン、空間に田根剛、衣裳に三原康裕を迎え、他分野のクリエーターとのコラボレーションによる作品を発表。

／りゅーとぴあ 新潟市民芸術文化会館 劇場［新潟］、静岡芸術劇場［静岡］、THEATER1010［東京］、兵庫県立芸術文化センター 中ホール［兵庫］

7月：『NINA―物質化する生け贄（simple ver.）』モスクワ公演（チェーホフ国際演劇祭招聘公演）

／The Meyerhold Centre［モスクワ、ロシア］

10月～11月：『W-view』

外部振付家招聘企画第3弾。ザ・フォーサイス・カンパニーの安藤洋子と元ネザーランド・ダンス・シアター（NDT）所属の中村恩恵という2人の女性振付家を招聘し、『Nin-Siki』『Waltz』の2作品を上演。

／りゅーとぴあ 新潟市民芸術文化会館 劇場［新潟］、Bunkamuraシアターコクーン［東京］、北九州芸術劇場 中劇場［福岡］、北上市文化交流センター さくらホール 中ホール［岩手］、札幌市教育文化会館 大ホール［北海道］

2008年

2月：『NINA―物質化する生け贄（ver.black）』アメリカツアー

／The John F. Kennedy Center for the Performing Arts Terrace Theater［ワシントンD.C.、USA］（JAPAN! culture + hyperculture Festival招聘公演）、The Power Center-The University Musical Society of University of Michigan［ミシガン州アナーバー、USA］

4月：『NINA―物質化する生け贄（ver.black）』ソウル公演
／LG Arts Center［ソウル、韓国］

6月～7月：見世物小屋シリーズ第1弾『Nameless Hands～人形の家』
衣裳に中嶋佑一を迎え、「見世物小屋の復権」を掲げた作品を発表。本作品で、Noismは第8回朝日舞台芸術賞舞踊賞を受賞。キリンダンスサポートにも選ばれる。
／りゅーとぴあ 新潟市民芸術文化会館 スタジオB［新潟］、静岡県舞台芸術公園稽古場棟BOXシアター［静岡］、シアタートラム［東京］、いわき芸術文化交流館アリオス 小劇場［福島］、金沢21世紀美術館 シアター21［石川］

11月～12月：『NINA―物質化する生け贄（ver.black）』
海外公演バージョンを（ver.black）として国内で凱旋公演。
／りゅーとぴあ 新潟市民芸術文化会館 劇場［新潟］、横浜赤レンガ倉庫1号館3Fホール［神奈川］

＊金森穣が第58回芸術選奨文部科学大臣賞（舞踊部門）、第61回新潟日報文化賞、第40回舞踊批評家協会賞を受賞。

2009年

1月：日仏文化交流事業の一環として、新潟市からの依頼により姉妹都市である仏・ナント市でワークショップを実施。
／Centre Choregraphique National de Nantes［ナント、フランス］

6月：『ZONE～陽炎 稲妻 水の月』（共同制作：新国立劇場）
空間に田根剛、衣裳に三原康裕を迎え、『academic』『nomadic』『psychic』の3部構成の作品を発表。
／りゅーとぴあ 新潟市民芸術文化会館 劇場［新潟］、新国立劇場 小劇場［東京］

9月：正式メンバーで構成されるメインカンパニーNoism1（ノイズムワン）と、研修生が所属するNoism2（ノイズムツー）の新体制をスタートさせる。

10月：『NINA―物質化する生け贄（ver.black）』台湾公演
／國立中正文化中心［台北、台湾］

11月～2010年3月：見世物小屋シリーズ第2弾『Nameless Poison～黒衣の僧』（共同制作：チェーホフ国際演劇祭）
衣裳に中嶋佑一を迎え、チェーホフの短編『黒衣の僧』に想を得た作品を発表。

／りゅーとぴあ 新潟市民芸術文化会館 スタジオＢ［新潟］、静岡芸術劇場［静岡］、愛知県芸術劇場 小ホール［愛知］、東京芸術劇場 小ホール１［東京］、まつもと市民芸術館 実験劇場［長野］

2010年

2月：新潟アジア国際音楽祭『新潟の芸術 Noism & 鼓童』

中越地震復興5周年を祈念するイベント、震災フェニックス―震災から立ち上がる文化の祭典―の一環として、『ZONE ～陽炎 稲妻 水の月』より『nomadic』を上演。

／りゅーとぴあ 新潟市民芸術文化会館 劇場［新潟］

3月：見世物小屋シリーズ第2弾『Nameless Poison ～黒衣の僧』

（共同制作：チェーホフ国際演劇祭）

2009年11月新潟で初演、4都市ツアーを経て、再度新潟で凱旋公演。

／りゅーとぴあ 新潟市民芸術文化会館 スタジオＢ［新潟］

Noism2 春の定期公演 2010

研修生カンパニーNoism2初の単独公演として、元Noism1メンバーの山田勇気振付『DOVE』、金森穣振付レパートリーを上演。

／りゅーとぴあ 新潟市民芸術文化会館 スタジオＢ［新潟］

6月：見世物小屋シリーズ第2弾『Nameless Poison ～黒衣の僧』

モスクワ公演（共同制作：チェーホフ国際演劇祭）

150周年を迎えたチェーホフ国際演劇祭の招聘により2007年以来2度目のモスクワ公演。

／Fomenko Theatre［モスクワ、ロシア］

7月：劇的舞踊『ホフマン物語』

初のNoism1 & 2合同公演、また新潟限定公演として、ジャック・オッフェンバックのオペラを原作とした劇的舞踊を上演。

／りゅーとぴあ 新潟市民芸術文化会館 劇場［新潟］

11月：朝日舞台芸術賞受賞記念・キリンダンスサポート公演　見世物小屋シリーズ第1弾『Nameless Hands ～人形の家』再演

2008年に発表し、同年の第8回朝日舞台芸術賞舞踊賞を受賞、キリンダンスサポートを受けたことによる再演。

／りゅーとぴあ 新潟市民芸術文化会館 スタジオＢ［新潟］

12月：Noism1 × NAF『蜉蝣の影』

新潟市新津美術館での展覧会「増田洋美 PLAY THE GLASS」

関連企画として、増田洋美のガラス作品を舞台にした一夜限りの作品を発表。
／新潟市新津美術館

2011年

2月：朝日舞台芸術賞受賞記念・キリンダンスサポート公演　見世物小屋シリーズ第1弾『Nameless Hands～人形の家』再演
／愛知県芸術劇場 小ホール［愛知］、高知県立美術館 ホール［高知］、横浜赤レンガ倉庫1号館3F ホール［神奈川］（国際舞台芸術ミーティング in 横浜2011参加公演）

〈著者紹介〉

村山　賢　（むらやま　けん）

1974年新潟市生まれ。

千葉商科大学商経学部卒業

『野良犬の挽歌―街―』（幻冬舎ルネッサンス）でデビュー。

そこにある、Noism

新潟市民芸術文化会館
りゅーとぴあ専属舞踊団

2011年3月20日　初版第1刷発行

著　者　村山　賢

発行者　五十嵐　敏雄

発行所　新潟日報事業社
〒951-8131
新潟市中央区白山浦2丁目645-54
TEL 025(233)2100　FAX 025(230)1833

印　刷　株式会社　第一印刷所

ISBN978-4-86132-442-0